MANAGING CONVERSATIONS IN GERMAN

REDEN

mitreden · dazwischenreden

SECOND EDITION

Ellen Crocker
Massachusetts Institute of Technology

Claire Kramsch
University of California at Berkeley

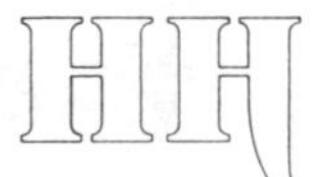

Heinle & Heinle Publishers
Boston, Massachusetts 02116 U.S.A.

Publisher: Stanley J. Galek
Editorial Director: E. Kristina Baer
Senior Assistant Editor: Petra Hausberger
Project Manager: Hildegunde Kaurisch
Production Supervisor: Patricia Jalbert
Manufacturing and Production Manager: Erek Smith
Text Design: Judy Poe
Cover Art and Design: Judy Poe
Illustrator: Dave Sullivan
Line Art: Len Shalansky

Heinle & Heinle Publishers is a division of Wadsworth, Inc.

Manufactured in the United States of America

ISBN 0-8384-1941-0

10 9 8 7 6 5 4 3 2

PREFACE TO THE SERIES

Since this *Managing Conversations* series first came out in 1985 for German and 1987 for French and Spanish, many advances have been made that can increase the oral proficiency of language learners. The importance given to interaction in the classroom, the emphasis put on natural forms of speech and the use of authentic materials and recordings, the suggestions made to break up the class in pairs and small groups, the development of oral proficiency tests—all these pedagogic advances have made the importance of teaching oral communication clear to everyone. But there are many ways to do so.

Some feel that it should be enough to give the students a topic of conversation and the vocabulary to go with it and to let them talk. However, even with the appropriate vocabulary, some students either don't have anything to say or feel unable to participate. Group work may remedy the situation, but some students are known to talk more than others and even to intimidate others. The term "gambit" has been used to characterize the formulaic phrases that native speakers use to take turns in conversation; if students don't talk, maybe they need a few gambits to "prime the pump." But even if they learn these gambits as they do lists of vocabulary, they still won't know when and how to use them for the desired effect.

The problem with these solutions is that they are compensatory. They leave the relationships of power and authority in the classroom intact. They leave untouched the instructional roles and relative status of teachers and students. In short, they try to teach natural discourse forms via traditional forms of schooled interaction.

The series *Managing Conversations* in German, French, and Spanish was designed precisely to help students make the jump from learning the forms of the language to learning how to use them in social encounters. It provides them with a variety of *contexts of use* in which speakers and hearers interact to achieve successful communication through speech. For each interactive strategy, both standard and nonstandard contexts are provided. The former are easier to master, and beginning learners get a sense of power when taught the essential routines and social etiquette of face-to-face interactions. The latter require general cognitive abilities to grasp the whole communicative situation and act upon it. Nonstandard contexts are more complex, but they allow for more creativity and less dependence on societal and cultural norms than standard communicative strategies. After all, it is the privilege of any learner to recognize the conventions of speech and to decide to flout these conventions!

INTRODUCTION

What is a Communication Strategy?

One Monday morning, as I am busy at the copying machine preparing for my first German class of the day, John, a colleague of mine, comes in. "How was your weekend?" he asks. "Great. You know who I met at this language conference? Jane Little." "Oh, yeah? How is she?" Now . . . I do know English and I did understand John's words, but all of a sudden I wasn't sure why he was asking me this question: had Jane been sick and I didn't know about it? Had he not seen her for a long time and he simply wanted to know what she was doing these days? How detailed should my response be? I was perplexed, so I said, "What do you mean, 'How is she?' Has she been ill?"

Learning a foreign language is not only learning how to form a grammatically correct question or even having the right vocabulary to do so; it is knowing when to use which form to express which meaning with whom for which purpose in which circumstance. That morning, already mentally prepared for my German class, I had understood John's "How is she?" as a "*Wie geht es ihr?*" or, in my native language, *Comment va-t-elle?*"—both of which require a somewhat different response than the rote answer "Fine," appropriate in American contexts. Mine was a cultural misunderstanding, not a linguistic one.

It is, however, in such cultural ambiguities that most of the difficulty of learning a foreign language lies. In fact, all human communication is predicated on such uncertainties, but in our native language we know how to clarify, avoid, or otherwise deal with such ambiguous situations. In the foreign language, students often feel they know all the dictionary words and all the rules of grammar necessary to receive messages or to get theirs across, but they are not sure they understand the individual, social, and cultural *value* of these words. Was John's "How is she?" a genuine request for information, a reminder of a state of health, or just one those routine gambits that form the vital "glue" of social encounters? And how can I answer appropriately if I don't understand the context of communication? What I need as a foreign user of the language are tools to deal with the ambiguity of the social context, plans to prevent or repair breakdowns in communication.

These plans can be of two kinds, corresponding to two different contexts of use:

1. Standard contexts that require formulaic, predictable phrases more or less fixed by usage. They are used in such routine situations as greetings and leave-taking; service encounters at the bank, the post office, and the supermarket; and instructional encounters in the classroom. They also help formulate beginnings and endings in recounting events, and even play a role in academic debates. These are relatively standard communication strategies, also called "gambits." They are often culturally different, both in form and in usage, from those of the learners' native language. They can be memorized and one can learn when and how to use them by observing how native speakers make use of them: the degree of formality (register), and their speed, pitch, and intonation.

2. Nonstandard contexts that require cognitive strategies for expressing, interpreting, and negotiating intended meanings that are often unpredictable and ambiguous. These strategies are not realized through fixed and ritualized phrases, but rather have to be created on the spot after assessing what the situation between speakers requires. In the example given above, I had the choice of assuming that John's question was only a gambit and answering "She's fine," or of solving my communication problem either by avoiding the issue ("She gave a great talk"), by making an inference ("She

hasn't been ill, has she?"), by giving information ("Fine . . . as a matter of fact"), or by asking for clarification with a disclaimer so as not to embarrass John ("I know you are going to think I am crazy, but I am not sure what you mean"). John's response would have surely necessitated further communication strategies on my part to close this exchange satisfactorily for both parties.

Teaching Communication Strategies in the Classroom

Teaching communication strategies is teaching language as discourse, i.e., language as it is used in social contexts between speakers, hearers, and bystanders. In the social context of the classroom, the teacher presents and transmits knowledge about the foreign language, the students display that knowledge for evaluation by the teacher, and they use it for communication with the teacher and their peers. The way language is used to perform these operations constitutes the managing discourse of any classroom. Three forms of discourse are used in language classes:

a. Instructional discourse, usually teacher-centered, that regulates the management of the lesson. It includes such utterances as "Please open your books"/"Repeat after me"/"We are having a test tomorrow"/"Don't speak all at once . . . " Students do little more than react to promptings from the teacher; they rarely initiate turns-at-talk, raise topics, or perform any other conversational task beyond reacting to questions and displaying information.

b. Convivial discourse in which teacher and students collaborate as equal partners in the managing of the lesson. This is a much more student-centered type of discourse, where instructional tasks are negotiated between teacher and students. "What did you mean?"/"How do you say . . . "/"I couldn't hear, what is it you just said"/"Excuse me, but it seems to me that . . . " are utterances typical of convivial discourse.

c. Natural or simulated natural discourse, in which teacher and students interact as they would outside the classroom. Examples of natural discourse are the exchanges between teacher and students at the beginning of the lesson: "I am sorry I am late, but I had to go to the dentist"; "Do you know what? They have just raised the tuition again!" Examples of simulated natural discourse are personal or service encounters: "Could you show me the way to . . . "—"Certainly"/"What did you do this summer"—"Well . . . hm . . . let's see"/"I would like a pound of potatoes"—"Anything else?"

Very often the reason students do not participate in classroom discussion is because they don't have the means or the opportunity to partake in either convivial or natural forms of discourse in the classroom.

Using communication strategies is not just the salt and pepper that teachers can sprinkle on traditional forms of instruction, it is a whole new way of managing language in the classroom, whatever the activity—be it a grammar lesson, dialogue practice, discussion of readings, or vocabulary drill. The use of these strategies in discourse makes teacher and peers into conversational partners, engaged on an equal footing in collaborative forms of interaction.

The Uses of Conversation Control

Teaching in the classroom the aspects of language that are typical of native speakers in natural settings raises a number of important questions that need to be addressed. Is it necessary to teach skills that learners already know from having been socialized in their native language? It is true that learners of a foreign language *shouldn't* have to be taught how to take turns in conversation, how to initiate and sustain topics, and how to build on the topics introduced by others? If so, what prevents them from performing these tasks in the classroom even when they are given the opportunity to do so? First, even if they know how to take the floor in English, they don't know the appropriately polite phrasing in the foreign language, and they may not use that phrase with the right intonation, the right rhythm, the right timing. Second, their imperfect knowledge of the language and their constant insecurity about intended meanings exacerbate the communicative difficulties that students can easily "gloss over" in their mother tongue but that render them helpless in the foreign language. Third, even if they have no difficulty conducting private exchanges with peers outside the classroom, the stress of doing so in public for the benefit of the teacher and twenty other learners certainly puts a damper on spontaneous expression.

Another question concerns the level at which such communication strategies can be taught effectively. Aren't they useful only at the advanced levels when the students have sufficient mastery of grammar and vocabulary? While negotiation of meaning in nonstandard contexts certainly requires an advanced level of linguistic competence, students at the beginning and intermediate levels need to feel they have control over the flow of conversation in standard situations of classroom discourse. Ritualized beginnings and endings, as well as standard routines for taking the floor, interrupting, and requesting clarification, empower students to play an active role in spite of their linguistic shortcomings. Between standard and the nonstandard contexts of use, there is a continuum that runs through the whole curriculum.

A third concern is related to the approach to conscious learning of these highly idiosyncratic strategies. Should they be observed, analyzed, and learned like rules of grammar, or acquired by imitation like a theatrical performance? Opinions among researchers differ on this point. It is true that many of the routine gambits have to be integrated within the total context of the conversation, at the right rhythm, speed, intonation, and pitch, and don't need any sociolinguistic analysis. In fact, students will tend to choose one gambit and overuse it at first until they find their own "voice." But in more unpredictable, less standard situations, conscious reflection on the distinction between the utterance and its meaning in conversation can be good preparation for advanced levels of competence in both speaking and writing.

The point has also been raised about the legitimacy of teaching foreigners how to behave like "little Frenchmen" or "little Germans." Notwithstanding the fact that many teachers themselves don't have the native-speaker skills to teach these communication strategies, should we really change their conversational style to approximate the native speaker "norm"? This is an important question and one that native speakers feel strongly about; foreigners have no business using these highly idiomatic strategies when they have not been socialized into the foreign culture! There is indeed a risk at the advanced levels that the more a foreigner has adopted the native-speaker conversational style, the more intimately he is expected to know the target language and culture.

However, at the beginning and intermediate levels, the pedagogic benefits of initiating learners to pragmatic aspects of discourse far outweigh the dangers of having them act out a role that might be contested. Not only does such an initiation demystify the elements that make up native-sounding fluency, but it gives the students in the classroom power and a sense of control over their use of the language. It adds authenticity to the language they hear and produce, and sensitizes them to levels of formality and relations of distance, power, and solidarity in human interactions.

In addition, as classroom research has shown, strategies for managing conversations also enable learners to control the quantity and the quality of the "input" they receive. The ability to start conversations (greetings) and to keep a conversation going (e.g., politeness formulae) provides them with the linguistic input they need to learn the forms of the language. The ability to ask for clarification (e.g., echo repetitions, requests for explanation), to give back "channel cues" ("uhuh," yeah") and even to avoid topics (e.g., changing the subject) provides them with a way of making this input comprehensible.

Thus, the strategies taught in the series "Managing Conversations . . . " are both communication and learning strategies. They help the individual student learn not only the forms of the language but also their multiple uses in the speech community of the classroom.

Claire Kramsch
Cornell University
September 1989

REDEN MITREDEN DAZWISCHENREDEN is:

user-oriented. Because of its workbook format, it is a learning tool to be developed and used by the students. Since it will contain their own individual observations, notes, and meaningful vocabulary, students will want to retain it as a useful conversational compendium.

activity-focused. The students use the language in concrete situations in the immediate environment of the classroom and in the outside world. Although each chapter is centered around a given topic, the primary focus is on the communication functions practiced during the individual, pair, or small-group activities. Each activity is clearly defined and its interactional format well specified.

interactive. The workbook introduces the student to some of the most important communicative strategies needed by speakers and hearers engaged in face-to-face interaction. They are systematically presented in increasing degrees of interactional difficulty.

The first chapters deal with interactional functions such as: opening and closing conversations, requesting and receiving information, planning and organizing things together, expressing and reacting to feelings. These require short turns-at-talk and the use of specific phrases; they are tailored mostly to two conversational partners. Next are functions that require greater listening and reacting skills as well as longer turns-at-talk; they may involve more than two conversational partners. These are: telling and listening to stories, giving and receiving advice, managing wishes and complaints. Finally, strategies are developed that enable students to conduct conversations in more complex interactional settings; they also require greater linguistic and communicative abilities. These are: expressing and reacting to opinions, introducing and steering topics, arguing and persuading.

All strategies are recycled in various contexts and applied to various conversational topics throughout the book.

student-centered. Rather than having to focus on the teacher in conversational exercises, the students learn how to take greater control over their own and other's discourse.

The organization of each chapter reflects this **student-centered** approach.

Das Konversationsspiel Students **reflect on** the basics of conversational management and learn key phrases that allow them to be active participants in any conversation.

Hören und Verstehen Students **gather** functional and lexical resources. They identify specific interactive strategies used by native speakers in natural conversations (see accompanying cassette).

Reden Students **practice** conversational strategies in simple, guided situations, to focus on learning effective rhythm, timing, and pronunciation of useful phrases.

Reden Mitreden Students **apply** their communicative strategies to fulfill the interactive function introduced in the chapter in a variety of situations. The activities are less guided and the outcome is up to the participants.

Reden Mitreden Dazwischenreden Students **engage** in full-fledged simulation games that combine several interactive functions in more complex situations. They observe and manage the discourse of real-life situations.

Das rechte Wort zur rechten Zeit concludes each chapter. Students review those strategies that can be realized with standard phrases and discuss options in less predictable exchanges.

The following symbols are used throughout the book to indicate tape activities:

Listening and writing exercise

Listening and speaking exercise

REDEN MITREDEN DAZWISCHENREDEN is accompanied by an Instructor's Manual that provides a full transcript of the conversations recorded on the tape, as well as detailed information on an interactive approach to language learning. It also contains ideas for successful implementing of the activities in intermediate language courses.

In gathering activities for the first and second editions we have repeatedly been inspired by friends and colleagues, either through personal communications or through their publications. We are especially grateful for the inspiration given to us by Edward de Bono's *Think Links* and by Francis Debyser's *Tarot des mille et un contes.* We have gained much from Volker Eismann's resourcefulness and understanding of group interaction. Wim Wenders' film *Alice in den Städten* has provided us with the idea of the fairy tale told in Chapter 5. In developing the second edition we have been inspired by the listening exercises that Melissa Vogelsang has designed while using our book with her students at Yale University.

Our thanks go also to our students who were willing to try out the activities and helped to refine the design of this book. Their enthusiasm encouraged us to explore further ways of giving them greater control over their own conversations and their own learning.

In putting together *REDEN MITREDEN DAZWISCHENREDEN, Second Edition,* we have relied on the support of colleagues, especially David Dollenmayer and Michael Geisler, who made a thorough reading of the first draft. The dynamic Heinle & Heinle team, headed by President Charles Heinle and Vice President and Publisher Stanley J. Galek, has continued to encourage innovative ideas. We especially acknowledge our debt to our developmental editor for the second edition, Petra Hausberger, who carefully worked on every section of the text, expediting with aplomb each stage of the project. To them and to Project Manager Hildegunde Kaurisch for her patient help, advice, and careful guidance in the production of this edition, our heartfelt gratitude.

Ellen Crocker
Claire Kramsch

INHALTSVERZEICHNIS

1 GESPRÄCHE BEGINNEN UND BEENDEN

„Grüß dich!"

2 UM AUSKUNFT BITTEN UND AUSKUNFT GEBEN

„Könnten Sie mir bitte sagen..."

3 GEMEINSAM PLANEN UND ORGANISIEREN

„Die Sache ist die..."

4 GEFÜHLE AUSDRÜCKEN UND DARAUF REAGIEREN

„Das ist nett von dir."

5 GESCHICHTEN ERZÄHLEN, GESCHICHTEN HÖREN

„Erzähl' doch mal."

KAPITEL 1

GESPRÄCHE BEGINNEN UND BEENDEN

1

„Grüß dich!"

DAS KONVERSATIONSSPIEL

THE CONVERSATIONAL BALL GAME

Conversation is like a ball game. A good player knows how to get the ball in play, how to catch it, which way to throw it back, how to keep it within bounds, how to anticipate the other players' moves. These strategies are at least as important as having the right ball and the right equipment.

You may think that you don't have enough vocabulary to conduct a real conversation in German, or that your grammar is too weak. But that shouldn't prevent you from playing the conversation game. What you need are the common communication strategies used by native speakers in everyday speech. When you want to converse with your fellow students in the classroom, such strategies can help you make the most of your German skills.

If you watch the students who speak a lot, you will observe that they don't always know German better than other students. They do, however, make good use of what they know: they make others talk by asking for clarification or offering interpretations; they build on what others have said; they buy time to think or find alternate ways of saying things; they know how to sound fluent even if they are not. In short, they have strategies to manage the conversation.

Das Konversationsspiel in Chapters 1 to 6 of this book will focus on "gate-keeping" strategies which you can use effectively in conversations beyond the scope of any particular chapter. In addition to learning more specific strategies in Chapters 1 to 10, you should systematically go back and review the gambits (phrases) that were introduced in the *Das Konversationsspiel* sections. As you experiment using these strategies (e.g. asking for clarification, paraphrasing what others have said), notice how you are able to manage the conversation.

COMMUNICATION WITHOUT WORDS

A surprising amount of communication takes place without using language at all. The following exercises will help you become more aware of *non-verbal* communication strategies.

A. Blindekuh. *(entire group)* You are blindfolded. The teacher whispers a number in the ear of each student (1, 2, 3, 4 etc.). Without speaking, line up against the wall in the numerical order assigned by the teacher, using only your sense of touch.

B. Synchronisation. *(in groups of four)* In front of the class, two students of each team improvise a two-minute skit miming a given situation, while the other two team members provide a soundtrack in German.

Suggestions:

- beim Friseur (Friseur/Friseuse; Kunde/Kundin)
- im Lebensmittelgeschäft (Verkäufer/in; Kunde/Kundin)
- beim Arzt (Arzt/Ärztin; Patient/in)
- im Flugzeug (Steward/ess; Passagier/Passagierin)

The two doing the soundtrack may want to encourage the mimes by introducing language that suggests certain kinds of responses. Experiment with the phrases below.

C. Zeichensprache. *(with a partner)* Work with the person sitting next to you. Using gestures only, ask him/her six questions. Your partner has to guess what the question is and answer with gestures only. After each answer, you should write down in German the information you have understood in the answer. After completing the six questions, check with your partner whether this information is correct.

EXAMPLE: A: Pointing to the wristwatch with questioning expression: ,,Wie spät ist es?"
B: Show of fingers: ,,Halb zehn."
A: Writes down ,,Es ist 9.30."

1. ______
2. ______
3. ______
4. ______
5. ______
6. ______

memo

Moment mal!	Just a minute!
Unverschämt!	What nerve!
Raus!	Get out of here!
Es ist mir egal.	I don't care.
Was? Wie bitte?	What? Excuse me?
Das geht Sie gar nichts an.	It's none of your business.

HÖREN UND VERSTEHEN

Wie macht man das auf englisch?

D. International students arriving in the USA often notice right away that greetings and leave-taking are handled differently from the way they are used to. What expressions or gestures for opening and closing conversations would you suggest visiting German students practice during their stay?

among friends:	**among strangers:**	**on the telephone:**
a hand wave	"Excuse me."	"May I speak to X?"
______	______	______
______	______	______
______	______	______

GESPRÄCHE 1–8

Was haben sie gesagt?

E. Listen to the eight taped conversations for *Kapitel 1.* Listen to each conversation several times and note down how the speakers begin and end the conversations in various situations.

UNTER FREUNDEN

GESPRÄCH 1

Zwei Studenten begegnen sich an der Uni. Es sind alte Freunde, aber sie haben sich schon lange nicht mehr gesehen.

Anfang	**Ende**
Ach grüß dich, wie geht's denn so?	*Gut, bis morgen dann, tschüs!*

GESPRÄCH 2

Zwei Freunde treffen sich am Flughafen. Helmut holt Martin mit dem Auto ab. Während Martin sein Gepäck holt, wartet Helmut beim Auto.

Anfang	**Ende**
Hallo, Martin, wie geht's dir denn?	Bis dann, bis gleich

Prof. Dr. Ing. Helmut Franzen
Unternehmensberatung-EDV
Hertelstr. 11
1000 Berlin 41
Tel.: (030) 851 93 11

UNTER FREMDEN

GESPRÄCH 3

Ein Vorstellungsgespräch unter Fremden. Herr Franzen kommt zu Frau Kunold. Herr Franzen sucht eine Arbeitsstelle.

Anfang	**Ende**
Guten Tag, mein Name ist Franzen, ich hatte vorhin bei Ihnen angerufen	

GESPRÄCH 4

Zwei Freunde werden einander von einer dritten Person vorgestellt, hier bei einer Party.

Anfang	**Ende**

GESPRÄCH 5

Zwei Studenten, die sich noch nicht kennen, stellen sich einander vor.

Anfang	**Ende**

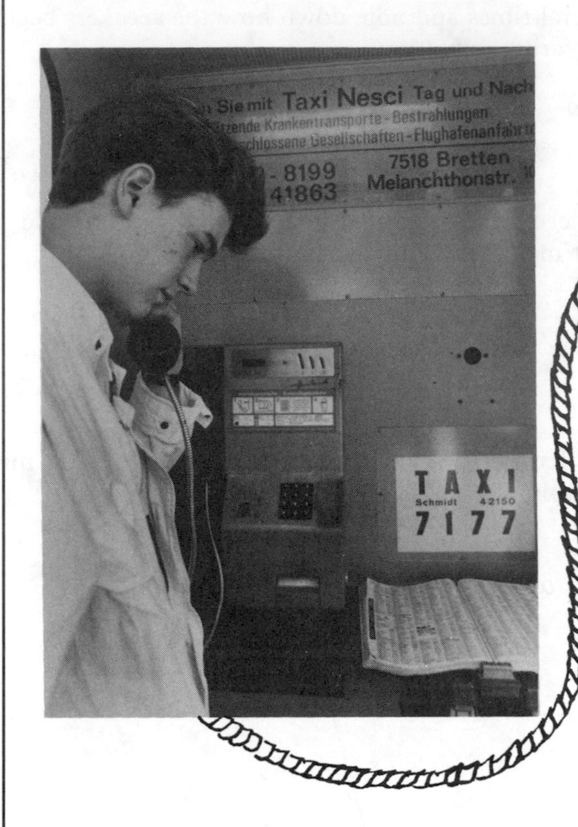

AM TELEFON UNTER FREUNDEN

GESPRÄCH 6

Zwei Freunde planen etwas für den Abend.

Anfang	**Ende**

AM TELEFON UNTER FREMDEN

GESPRÄCH 7

Zwei Fremde treffen eine Verabredung.

Anfang	**Ende**

GESPRÄCH 8

Helga möchte mit Christa sprechen. Christas Vater antwortet.

Anfang	**Ende**

REDEN

This section of each chapter contains exercises for helping you practice a variety of gambits (phrases), some of which you heard on the tape. Try to achieve different effects by varying the rhythm and timing, the intonation and enunciation of the phrases you use.

F. Sich vorstellen, eine Bekanntschaft machen. *(in Paaren und Gruppen zu viert)*

memomem

Guten Tag / Tag!	Hello / Hi.
Ich heiße . . . und du?	I'm . . . and you?
Wo kommst du her? Wo bist du zu Hause?	Where are you from?
Ich komme aus . . .	I'm from . . .
Wo wohnst du jetzt?	Where do you live now?
Wie lange bist du schon hier?	How long have you been here?
Ich bin schon zwei Jahre hier.	I've been here for two years.
Ich bin im ersten Jahr.	I'm a freshman.
Wann bist du mit dem Studium fertig?	When do you graduate?
Seit wann lernst du Deutsch?	How long have you had German?
Was ist dein Hauptfach?	What's your major?
Wo bist du zur Schule gegangen?	Where did you go to school?
Was machst du in deiner Freizeit?	What do you do in your free time?

a) Am Anfang des Semesters stellen sich die Kursteilnehmer und der Lehrer erst einmal einander vor. Welche deutschen Ausdrücke kann man in dieser Situation benutzen?

unter Studenten	**Student und Professor**
greeting: ______________	______________
introduction: ______________	______________
autobiographical detail: ______________	______________
______________	______________
______________	______________
______________	______________
______________	______________

b) Lernen Sie jetzt einen Kommilitonen und Ihren Professor kennen. Stehen Sie auf, gehen Sie auf ihn/sie zu und drücken Sie ihm/ihr die Hand. Grüßen Sie und stellen Sie sich vor.

c) Jetzt gehen Sie und Ihr Partner zu zwei anderen Studenten und stellen sich vor.

Oh, Verzeihung, ich habe Sie verwechselt.

memo

Grüß Gott / Guten Tag / Grüß dich / Tag / Morgen / n' Abend	hello / hi
Darf ich vorstellen: . . .	This is . . .
Freut mich.	Please to meet you.

d) Erzählen Sie ihnen, was Sie voneinander wissen und verabschieden Sie sich mit einem Händedruck.

memo

Tschüs!	Bye!
Mach's gut!	Take care!
Auf Wiedersehen!	Good bye! So long!
Schönen Tag noch!	Have a nice day!
Auf Wiederhören!	Good bye! (on telephone)
In Ordnung.	O.K. then.
Also gut. / Na gut.	Well, o.k., fine.

e) Nun kennen Sie drei Klassenkameraden. Schreiben Sie auf, was Sie über alle drei wissen. Wenn Sie ein Detail vergessen haben, fragen Sie die Person noch einmal.

memo

Wie war das nochmal?	What was that again?
Stimmt das?	Is that correct?

Name: ______________________ wohnhaft in: ______________________
aus: ______________________ Telefonnummer: ______________________
Aussehen: ______________________
Schulbildung: ______________________
Deutsch: ______________________
andere Fächer: ______________________
Freizeitbeschäftigung: ______________________
Familie: ______________________

Name: ______________________ wohnhaft in: ______________________
aus: ______________________ Telefonnummer: ______________________
Aussehen: ______________________
Schulbildung: ______________________
Deutsch: ______________________
andere Fächer: ______________________
Freizeitbeschäftigung: ______________________
Familie: ______________________

Name: ______________________ wohnhaft in: ______________________
aus: ______________________ Telefonnummer: ______________________
Aussehen: ______________________
Schulbildung: ______________________
Deutsch: ______________________
andere Fächer: ______________________
Freizeitbeschäftigung: ______________________
Familie: ______________________

Name / Nom / Name

Vornamen / Prénoms / Christian names

Geburtstag / Date de naissance / Date of birth

Geburtsort (Land, Kreis) / Lieu de naissance / Place of birth

Größe / Taille / Height
cm

Farbe der Augen / Couleur des yeux / Colour of eyes

Unveränderliche Kennzeichen
Signes particuliers / Distinguishing characteristics

Nr. 3890787

2

Unterschrift des Inhabers / Signature du titulaire / Signature of bearer

3

Nr. 3890787

G. Haben Sie einen Ausweis? Füllen Sie bitte den deutschen Personalausweis mit Ihren Personalien aus!

H. Der Lebenslauf. Wie Sie sehen, hat der deutsche Lebenslauf ein anderes Format, als das typische amerikanische *curriculum vitae*. Schreiben Sie Ihren Lebenslauf in tabellarischer Form nach folgendem Muster:

Personalien	Helen Marie Schmidt, geboren am 26. Mai 1971 in Cambridge, Massachusetts; Tochter von Peter H. Schmidt, Elektroingenieur und Hannelore Schmidt, Hauptschullehrerin
Staatsangehörigkeit	amerikanisch
Adresse	117 Fayerweather Street Cambridge, MA 02138
Schulbildung	1977–1984 Grundschule in Cambridge 1984–1987 Cambridge Rindge and Latin High School
Oberschulfächer	Englisch (4 Jahre), Mathematik (3 Jahre), Chemie (1 Jahr), Geschichte (3 Jahre), Deutsch (4 Jahre), Latein (2 Jahre), Informatik (1 Jahr), Physik (1 Jahr)
Studium	1987—Elektrotechnik am Massachusetts Institute of Technology
Berufserfahrung	Sommer 1986, 1987: bei der Ecotran Chi Corporation in Beachwood, Ohio, als DV-Technikerin. Ich habe Daten gesammelt und verarbeitet, um Schulbusfahrpläne zusammenzustellen.
Cambridge, den 16.12.1990	Helen M. Schmidt

REDEN MITREDEN

This section of each chapter has activities you can use to try out the strategies and gambits in actual conversations. The point of these exercises is for you to interact naturally with each other as you experiment with the gambits you have practiced in this chapter.

I. Begegnungen mit Fremden. *(in Paaren)* Bei zufälligen Begegnungen brauchen Sie keinen Händedruck, keine gegenseitige Vorstellung! Finden Sie ein Thema, mit dem Sie ein Gespräch mit einem Fremden eröffnen können (das Wetter, die Stadt, Sport, Reisen, usw.) und dann besprechen Sie ein persönlicheres Thema. Das Thema soll am Anfang allgemein bleiben, erst am Ende darf es persönlicher werden.

Folgende Themen sind etwas persönlicher in einem Gespräch mit Deutschen:

- wo er/sie wohnt, wo ich wohne
- was er/sie studiert, was ich studiere
- wie alt er/sie ist, wie alt ich bin
- in welchem Bundesstaat geboren
- welchen Film er/sie neulich gesehen hat
- seine/ihre Lieblingsmusik

Situationen:

1. Fangen Sie ein Gespräch mit einem Mitreisenden im Flugzeug an.
2. Sprechen Sie bei einem Fußballspiel Ihren Nachbarn an.
3. Eröffnen Sie ein Gespräch mit einem Mädchen/Jungen im Bus oder mit einem anderen Studenten auf einer Party.

J. Mit einem Klassenkameraden am Telefon. Notieren Sie sich die Telefonnummer eines Klassenkameraden, den Sie noch nicht kennen. Rufen Sie ihn/sie zu Hause an und lernen Sie ihn/sie am Telefon kennen. Beginnen Sie etwa mit: „Hier ist X aus der Deutschklasse. Darf ich bitte mit Y sprechen?" Beenden Sie den Dialog etwa mit: „So, das wär's. Wir sehen uns morgen in der Klasse. Also dann, bis morgen. Tschüs." (Dieses Gespräch können Sie auch mit einem Studenten aus einer anderen Deutschklasse führen.)

Was haben Sie am Telefon erfahren?

Name: ______________________ wohnhaft in: ______________________
aus: ______________________ Telefonnummer: ______________________
Schulbildung: ______________________
Deutsch: ______________________
andere Fächer: ______________________
Freizeitbeschäftigung: ______________________
Familie: ______________________

REDEN MITREDEN DAZWISCHENREDEN

In a conversation it is often difficult to predict exactly what is going to develop. This section of each chapter has problem-solving activities for pairs and small groups. The more freely you and your partners interact with each other, the more effectively you can use the communication strategies and gambits you have been practicing.

K. Stellenangebote. *(in Gruppen zu viert)* Hier ist eine Liste von authentischen und fiktiven Stellenangeboten aus der Zeitung. Entscheiden Sie zusammen mit Ihrer Gruppe, für welches Angebot Sie Kandidaten interviewen wollen.

TEIL A: **Vorbereitung**

Gesucht:

- Mitbewohner für eine Wohngemeinschaft
- Fünfter in einer Segelmannschaft, die rund um die Welt segeln will
- Mittäter für Bankeinbruch
- Schülervertreter bei der Schulverwaltung
- Ersatzmann/-frau, der/die beim Abschlußball die Freundin/den Freund begleiten soll
- Kaufhausdetektiv/in
- Ungelernter Mitarbeiter in der Mensaküche
- Mitfahrer von New York nach San Francisco
- Gärtner für städtischen Friedhof
- Butler im Diplomatenhaushalt
- Empfangsdame/-herr/-chef im Luxushotel
- Vierte Person für eine Campingtour

Re taurant • Varieté
Veranstaltungen
Wir suchen für unser junges Team zum 1. September 1984 oder später:
Party-Chef
Demi-Chef
Commis
Geschäftsführer-Assistenten(innen)
männlich und weiblich
Büfettkräfte
Kellner(innen)
Kiosk-Verkäuferinnen
Garderobenfrauen
Personalpförtner
Bewerbung schriftlich mit Paßbild an: CT-Treuhand, Georgstr. 46, Personalabteilung
Kräftiger Portier
für Nachtlokal in Offenbach ges.
Tel. 0 60 50 / 72 30 von 19-20 h
KTG Kurierteam GmbH sucht branchenkundige Fahrer/innen mit eigenem Pkw, Bus od. ähnlichem für sofort od. später. TEL. 461003 Mo.-Fr. von 7-18 Uhr
Mann für alles gesucht. Zuschriften unter ST 4496
Omnibusfahrer zwisch. 6.00 und 9.30 Uhr sowie zwisch. 13.00 u. 16. 30 in Dauerstellung ges. TEL. 06074 / 70220
Suche jugoslaw. Koch o. Köchin sowie Kellner (auch Aushilfe). TEL. 06193 / 41595
Propagandistin
zuverlässig, erfolgreich, eigener Pkw, ab 1. April frei. Angebote an DT 82056
Butler
Engländer, 29 J., außergewöhnliche Referenzen u. langj. Erfahrungen im diplomatischen Dienst, 3sprachig in Wort u. Schrift, sucht anspruchsvolle Position. NRW bevorzugt, aber nicht Bedingung. Zuschriften unter D H 801064 an die Frankfurter Allgemeine, Postfach 2901, 6000 Ffm. 1.

memo

Der Kandidat muß unbedingt . . .	The candidate has to . . .
Die Kandidatin darf nicht . . .	The candidate shouldn't (be) . . .
mutig	courageous
sauber	clean
erfinderisch	inventive
Phantasie haben	be imaginative
stark	strong
gutaussehend	attractive
rücksichtslos	ruthless

Bereiten Sie zusammen das Interview vor. Welche fünf Eigenschaften soll der/die Kandidat/in haben? Schreiben Sie für jede Eigenschaft eine Frage auf, die Sie allen Kandidaten stellen wollen.

Wir suchen: ______

Eigenschaften:

1. ______
2. ______
3. ______
4. ______
5. ______

Interviewfragen:

1. ______
2. ______
3. ______
4. ______
5. ______

TEIL B: Interview

Setzen Sie sich mit einer anderen Gruppe zusammen. Jeder von Ihnen interviewt jetzt je einen Kandidaten aus der anderen Gruppe. Schreiben Sie die Antworten auf. Berichten Sie Ihrer Gruppe über das Interview.

Name des Kandidaten: ______

Antwort auf

Frage 1: ______

Frage 2: ______

Frage 3: ______

Frage 4: ______

Frage 5: ______

TEIL C: Entscheidung und Bericht

Entscheiden Sie als Gruppe, welcher Kandidat für die Stelle am meisten, welcher am wenigsten geeignet ist.

Am wenigsten geeignet: ______________________ Warum? ______________________

____

Am meisten geeignet: ______________________ Warum? ______________________

____

Berichten Sie vor der Klasse. Für welche Stelle haben Sie einen Kandidaten gesucht? Welche Fragen haben Sie gestellt? Welchem Kandidaten haben Sie die Stelle gegeben und warum?

DAS RECHTE WORT ZUR RECHTEN ZEIT

In this chapter you have learned certain standard phrases. Different situations often call for different expressions; for example, sometimes it is important to maintain a polite social distance by using an indirect question or response. Between close friends, a more direct, casual style is appropriate. Try to find a fitting question or assertion for the following situations.

L. Am Telefon.

1. Sie wollen (Ihre Professorin/den Chef/Ihren Freund) anrufen. Sie wählen die Nummer. Was sagen Sie dann?

   „____"

2. X und Sie haben sich für Montag verabredet. Was sagen Sie zu ihm/ihr zum Schluß?

   „____"

M. Auf der Straße.

1. Sie begegnen einem Bekannten, den Sie seit einem Jahr nicht gesehen haben. Was sagen Sie zu ihm?

   „____"

2. Heute ist Freitag. Was wünschen Sie dem Bekannten, wenn Sie sich verabschieden?

N. Auf einer Fete.

Gastgeber: „Darf ich vorstellen? Werner Schmidt—Gisela Baum."
Gisela B. oder W. Schmidt:

„____"

BEVOR WIR WEITERGEHEN . . .

Now that we have practiced how to open and close conversations in German, we will look at how to keep different kinds of conversations moving. *Das Konversationsspiel* in Chapters 2 to 6 will introduce the "gate-keeping" strategies used by speakers and listeners in conversations.

THE SPEAKER–LISTENER TEAM

Good conversation, especially between non-native speakers, is the result of the cooperation of both speakers and listeners. As listener you catch the ball; as speaker you decide how to throw it back. You use your partner's move to shape your own.

Very often, ideas are clarified and trigger off new ideas simply by being verbalized. Your aptitude to play the game will depend on your ability to listen to and understand what the others say, to explore the ideas of others, and add to them or contrast them with your own. And, remember, the pleasure of a conversation lies in the conversation itself. There are no right or wrong moves, no winners, no losers.

HÖREN UND VERSTEHEN

O. Let's see how full-fledged conversations work. On your cassette at the end of *Kapitel 1* listen to sample conversations between native speakers of German. Observe the various strategies used.

OBSERVATION TEXT 1

Listen to an interview between a reporter and a young apprentice in metallurgy. Follow the transcription below. With a classmate discuss what each speaker does with his/her turn.

	B.	. . . ich arbeite in der Metallindustrie
asking for clarification / explanation	**A.**	Ja—warum haben Sie gerade diesen Beruf gewählt—also Metallindustrie?
buying time /expanding with specifics	**B.**	Das war eigentlich irgendwie auch mal mit– mein Traumberuf war– ich wollte gerne arbeiten und zwar nicht gerade geistig, sondern mehr körperlich.
acknowledgement and interpretation with "also"	**A.**	Ja—also kann man sagen, daβ Sie ihn selbst gewählt haben, diesen Beruf?
echo confirmation	**B.**	Ich habe diesen Beruf selbst gewählt.
acknowledgement and questions	**A.**	Ja—und was macht zum Beispiel Ihr Vater? und ist Ihre Mutter auch berufstätig?
	B.	Nein—meine Mutter ist nicht berufstätig, aber mein Vater ist Vermessungsingenieur im öffentlichen Dienst.
acknowledgement and request for clarification	**A.**	Ja—können Sie das vielleicht etwas näher erklären, was das ist, ein Vermessungsingenieur?
	B.	Ein Vermessungsingenieur das ist– im öffentlichen Dienst, das wär' bei der Bundeswehr– er vermiβt sozusagen die Landkarten, die ja auch später hergestellt werden.
acknowledgement and question	**A.**	Ja–ja. Leben Sie noch bei Ihren Eltern?
echo confirmation	**B.**	Ja, ich lebe noch bei meinen Eltern—aber . . .
completing the sentence by offering interpretation	**A.**	es gefällt Ihnen nicht mehr so recht.
	B.	Es gefällt mir nicht, weil—ich habe—dementsprechend mehr Aufgaben zu Hause noch zu tun.
acknowledgement and offering interpretation	**A.**	Ja—müssen Sie da helfen, oder?
	B.	Helfen weniger, aber es fallen so Arbeiten an wie Reparaturen, die so im Haushalt vorkommen.
acknowledgement and interpretation with "also"	**A.**	Hm, hm—und Sie würden also vielleicht lieber allein wohnen und unabhängig sein.
linking to A's interpretation	**B.**	Allein wohnen schon, aber ganz unabhängig—das, glaub' ich, ist in meinem Alter noch zu früh.

acknowledgement and offering interpretation	**A.** Ja—und vielleicht ist Ihr Einkommen auch nicht so hoch. Wieviel verdient so ein Lehrling?
gaining time to think	**B.** Also—ein Lehrling—als Maschinenschlosser—das ist Durchschnitt—das ist circa bei 365 Mark brutto

Note in this interview the different types of strategies used by the interviewee (B) and by the interviewer (A) by virtue of their differing social status and role in the conversation. (B) seems quite nervous: he cautiously echoes (A)'s statements (*Ich habe diesen Beruf selbst gewählt.*), carefully linking his responses to the interviewer's interpretations (*Allein wohnen schon, aber ganz unabhängig . . .*) and anxious to gain time to think (*Also . . . ein Lehrling . . . als Maschinenschlosser . . .*). The interviewer is trying to put the young man at ease by acknowledging the apprentice's statements (*ja–ja*), completing his sentences (*Es gefällt Ihnen nicht mehr so recht.*) and offering paraphrases and interpretations of what (B) has said (*Also kann man sagen, daß . . .*)

OBSERVATION TEXT 2

Listen to an informal conversation among three students discussing the pros and cons of living in a group house. Follow the partial transcription below. Listen to the tape several times and fill in the blank phrases in the transcript. Note the interpretation of the missing phrase (to left of text).

throwing the ball with a starter	**A.** ______________________ Die BILDZEITUNG schrieb gestern, 81% der Jugendlichen haben bei einer Umfrage erklärt, daß sie die Kommune ablehnen und sogar darüber– sie sogar verspotten. Das steht in der BILDZEITUNG von gestern.

echo (interrupting with partial repetition)	**B.** ________________________
	A. Verspotten. Der Ausdruck ist gebraucht worden und–
interrupting with marker (i.e., a short expression)	**C.** ________________________ –wer geht denn in– wer bildet denn Kommunen? Du sagtest vorhin . . .
trying to take the floor	**B.** ________________________ die Kommunen . . .
taking the floor with an opinion marker	**C.** Also darüber müssen wir uns doch ganz klar sein—die BILDZEITUNG hat einen rein propagandistischen Effekt.
countering with a marker	**A.** ________________________ wollen diese Leute, die in Kommunen leben, an ihren Kindern wieder gutmachen, was ihre Eltern falsch gemacht haben.
asking for clarification	**B.** ________________________
starter and opinion marker	**A.** ________________________ daß diese ganzen Probleme, die manchmal zwischen Kindern und Eltern entstehen, einfach darin liegen, daß diese Institution Ehe und Familie meines Erachtens schädlich ist; ich könnte mir vorstellen . . .
interrupting with echo	**B.** ________________________
asking for clarification	**C.** ________________________

Vokabeln die ich aus diesem Kapitel festhalten möchte:

KAPITEL 2

UM AUSKUNFT BITTEN UND AUSKUNFT GEBEN

2

„Könnten Sie mir bitte sagen,..."

DAS KONVERSATIONSSPIEL

CATCHING THE BALL

By being an interested, responsive listener you can keep a conversation going and learn more from your partner.

SHOWING INTEREST

It is up to you as a listener to show signs of acknowledgment (agreement, surprise, doubt, disbelief, etc.). These help the speaker know whether you understand, and serve as encouragement to go on. Keep eye contact with the speaker—show by nodding your head or by other facial expressions that you are interested. You can use:

memo

FOR SURPRISE:	FOR ACKNOWLEDGMENT:	FOR AGREEMENT:
Wirklich?	**Ja—ja.**	**Genau!**
Tatsächlich?	**Ja?**	**Das stimmt!**
(Repeat part of statement as a question)	**Und dann?**	**Ja, du hast recht!**

ASKING FOR CLARIFICATION

Since the conversation is dependent on your feedback, you can catch the ball by asking for clarification or additional information. Some useful gambits are:

memo

Wie war das?	What was that?
Das habe ich nicht verstanden.	I didn't understand that.
Moment mal, kannst du das nochmal sagen?	Just a second, can you say that again?
Wie meinst du das? Ich verstehe das nicht.	How do you mean that? I don't understand that.
Kannst du das näher erklären?	Can you explain what you mean?

You can also ask for clarification by offering your own interpretation of what you heard or by suggesting an example:

memo

Du meinst . . .	You mean . . .
Also, du meinst, zum Beispiel . . .	So, you mean, for example . . .
Wenn ich dich richtig verstanden habe, . . .	If I've understood you correctly . . .

HELPING THE SPEAKER

In conversations between two non-native speakers (or even between native speakers), the listener frequently helps the speaker complete a sentence if he or she is searching for the right phrase. The listener can guess what word(s) the speaker is searching for and offer some help.

EXAMPLE: A: Wann bist du . . . ?
B: Geboren?
A: Ja, wann bist du geboren?

Try out the strategies for "catching the ball" while talking in German with your partner. Experiment using the gambits listed in the *memomemo* boxes above.

A. Hörst du zu? *(in Paaren)* Choose a partner. Maintaining eye contact, talk to each other at the same time. Neither shows interest in what the other is saying; each concentrates on his or her own story. Try and get your partner to stop talking and listen to you. Don't stop talking! Time limit: one minute.

SAMPLE TOPICS: Sie versuchen, Ihrem Partner Ihr Fahrrad zu verkaufen.
Das Schrecklichste, was Ihnen je passiert ist.

B. Wirklich? *(in Paaren)* Find a partner. Tell him or her about a dream you had; your partner, using the strategies from page 20, gives you enough feedback to help you along. The feedback should show genuine interest.
Start with: „*Ich hatte neulich einen Traum . . .* "

HÖREN UND VERSTEHEN

Wie macht man das auf englisch?

C. Imagine a situation in which a German exchange student in the U.S.A. might need to ask for or give someone else information (e.g. asking for directions, getting information at a travel bureau, giving information at the housing office, etc.). What are some different ways to request and to give information in English? Please indicate any variations in slang or formal vs. informal usage.

Situation: ______________________________

Getting information

1. ______________________________
2. ______________________________
3. ______________________________

Giving information

1. ______________________________
2. ______________________________
3. ______________________________

GESPRÄCH 1

D. Hören Sie dem ersten Gespräch auf dem Tonband mehrmals zu, und machen Sie dabei die Übungen zu Teil A im Buch und die Übung 1 zu Teil B auf dem Tonband.

Eine Ausländerin will bei einem Geschäft in Deutschland arbeiten. Der Arbeitgeber muß für das städtische Arbeitsamt ein Formular ausfüllen. Im folgenden Gespräch stellt er Fragen, die genaue Auskunft über die Person geben sollen.

TEIL A: Was haben sie gesagt?

Fragen zur Person: Welche Fragen stellt der Arbeitgeber?

1. ______________________________
2. ______________________________
3. ______________________________
4. ______________________________
5. ______________________________
6. ______________________________
7. ______________________________
8. ______________________________

Notieren Sie folgende Information über die ausländische Arbeitnehmerin.

Name ______________________________

Geburtsname bei Frauen ______________________________

Vorname ______________________________

Geburtsdatum ______________________________

Familienstand: ledig ________ verh. ________ gesch. ________ verw. ________

Adresse ______________________________

Einreisedatum ______________________________

Beschäftigung bei ______________________________

für die Zeit vom ______________________________ bis ______________________________

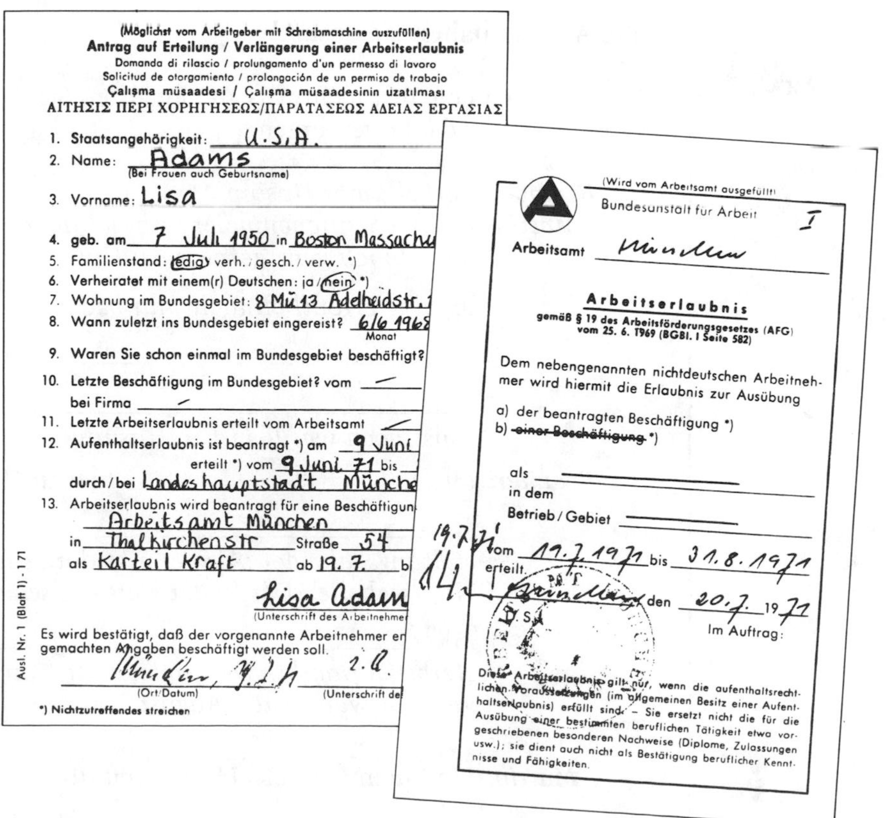

(Möglichst vom Arbeitgeber mit Schreibmaschine auszufüllen)
Antrag auf Erteilung / Verlängerung einer Arbeitserlaubnis
Domanda di rilascio / prolungamento d'un permesso di lavoro
Solicitud de otorgamiento / prolongación de un permiso de trabajo
Çalışma müsaadesi / Çalışma müsaadesinin uzatılması
ΑΙΤΗΣΙΣ ΠΕΡΙ ΧΟΡΗΓΗΣΕΩΣ/ΠΑΡΑΤΑΣΕΩΣ ΑΔΕΙΑΣ ΕΡΓΑΣΙΑΣ

1. Staatsangehörigkeit: U.S.A.
2. Name: Adams (Bei Frauen auch Geburtsname)
3. Vorname: Lisa
4. geb. am 7 Juli 1950 in Boston Massachu
5. Familienstand: ledig verh. / gesch. / verw. *)
6. Verheiratet mit einem(r) Deutschen: ja / nein *)
7. Wohnung im Bundesgebiet: 8 Mü 13 Adelheidstr.
8. Wann zuletzt ins Bundesgebiet eingereist? 6/6 1968 (Monat)
9. Waren Sie schon einmal im Bundesgebiet beschäftigt?
10. Letzte Beschäftigung im Bundesgebiet? vom — bei Firma —
11. Letzte Arbeitserlaubnis erteilt vom Arbeitsamt —
12. Aufenthaltserlaubnis ist beantragt *) am 9 Juni erteilt *) vom 9 Juni 71 bis durch / bei Landeshauptstadt Münche
13. Arbeitserlaubnis wird beantragt für eine Beschäftigun Arbeitsamt München in Thalkirchenstr Straße 54 als Karteil Kraft ab 19. 7. b

Lisa Adam
(Unterschrift des Arbeitnehme

Es wird bestätigt, daß der vorgenannte Arbeitnehmer en gemachten Angaben beschäftigt werden soll.

München, 9.2.71 (Ort/Datum) (Unterschrift de

*) Nichtzutreffendes streichen

Ausl. Nr. 1 (Blatt 1) - 171

(Wird vom Arbeitsamt ausgefüllt)
Bundesanstalt für Arbeit

Arbeitsamt München

Arbeitserlaubnis
gemäß § 19 des Arbeitsförderungsgesetzes (AFG) vom 25. 6. 1969 (BGBl. I Seite 582)

Dem nebengenannten nichtdeutschen Arbeitnehmer wird hiermit die Erlaubnis zur Ausübung
a) der beantragten Beschäftigung *)
b) ~~einer Beschäftigung~~ *)

als ______
in dem
Betrieb / Gebiet ______
vom 19.7.1971 bis 31.8.1971 erteilt.
München, den 20.7. 1971
Im Auftrag:

Diese Arbeitserlaubnis gilt nur, wenn die aufenthaltsrechtlichen Voraussetzungen (im allgemeinen Besitz einer Aufenthaltserlaubnis) erfüllt sind. – Sie ersetzt nicht die für die Ausübung einer bestimmten beruflichen Tätigkeit etwa vorgeschriebenen besonderen Nachweise (Diplome, Zulassungen usw.); sie dient auch nicht als Bestätigung beruflicher Kenntnisse und Fähigkeiten.

TEIL B: **Was kann man noch sagen?**

1. Was sagt man, wenn man die Auskunft gehört hat? *(Übung auf dem Tonband)*

Ja, ich schreib's auf.	I'll take that down.
Conner. Gut, habe ich.	Conner. Yes, I've got that.
Gut, Name ist Conner.	Good, the name is Conner.
Ja, dann, soweit das.	Yes, well, that's that.

2. Wie kann man seine Frage umformulieren? *(Übung mit der Klasse)*

„beziehungsweise" bedeutet so viel wie „genauer gesagt" oder „Ich möchte den Satz oder das Wort etwas präziser sagen."

. . . beziehungsweise, ich brauche dann Ihr Geburtsdatum.	. . . in other words I need your birthdate.
. . . beziehungsweise, ich brauche Ihre genaue Adresse.	. . . complete address.
. . . beziehungsweise, ich brauche Ihr genaues Einreisedatum.	. . . your actual date of arrival.

GESPRÄCH 2

E. Hören Sie sich jetzt das zweite Gespräch auf dem Tonband mehrmals an. Schreiben Sie die Übungen zu Teil A und Teil B im Buch. Die Übung 1 zu Teil C ist auf dem Tonband.

Sie hören jetzt ein Telefongespräch zwischen einem Touristen und einem Beamten am städtischen Verkehrsamt in Husum in Norddeutschland.

TEIL A: **Was haben sie gesagt?**

Hören Sie sich den Text mehrmals an. Ergänzen Sie die Ausschnitte und beantworten Sie die Fragen unten.

Beamter: *Verkehrsamt Husum.*

Martin: *Ja, hier Schlichenmeier. Äh, ich möchte eigentlich dieses Jahr, möchte ich ganz gerne nach Husum kommen. Aber, äh, ich möchte eigentlich nicht nur baden. Deshalb (1) ____________ ______________________________ und zwar (2) ____________ ______________________________, ob, ähhm, außer Baden sonst noch was los ist in Husum.*

Beamter: *(3) ______________________ hier in Husum ist 'ne Menge los.*

(4) ______________________________ auf den Veranstaltungskalender. Also es gibt dort einmal einen Flohmarkt in der Nordseehalle. Der findet statt am sechzehnten August.

(5) ____ hier einen Herbstjahrmarkt. Der findet statt vom einundzwanzigsten bis zum vierundzwanzigsten August.

(. . .)

Martin: *Und mmm zwecks Unterkunft, (6) ______________________________ ____________________? Irgendwas vermitteln?*

Beamter: *(7) ____________________. Ich kann Ihnen da 'ne ganze Liste von Pensionen oder, sofern Sie interessiert sind, auch von Hotels zusenden. (8) ____________________, dann schicke ich Ihnen die zu.*

Martin: *Ja, (9) ____________________. Und zwar, also mein Name ist Martin Schlichenmeier.*

(. . .)

TEIL B: Was haben sie getan?

Interpretieren Sie, was Sprecher und Hörer mit Worten getan haben. Notieren Sie, welche Funktion jeder der numerierten Sätze in der Transkription hat.

Was tun sie?	Wie tun sie das? (1)	(2)	(3)	(4)	(5)	(6)	(7)	(8)	(9)
um Auskunft bitten									
Auskunft geben			x						
(den Ball fangen:) Interesse zeigen									x
um Erklärung bitten									
dem Sprecher helfen									

TEIL C: Was kann man noch sagen?

1. Wie bittet man um Auskunft? *(Übung auf dem Tonband)*

Können Sie mir da vielleicht irgendwie weiterhelfen?	Can you help me with this?
Da habe ich noch eine Frage.	I have another question about that.
Ich würde gern wissen, wo ich übernachten könnte.	I would like to know where I could get a room for the night.
Könnten Sie mir da eine Unterkunft vermitteln?	Could you arrange accommodations for me there?

2. Was sagt man, wenn man eine Auskunft geben will? *(Übung mit der Klasse)*

Vermutlich werden also Herbstsachen verkauft.	Presumably there are seasonal goods for sale.
Wie Sie wissen, ist das Wetter dann schon etwas kühler, und die Waren sind vermutlich für den Herbst gedacht.	As you know, the weather is somewhat cooler by then and the goods are presumably for fall.
Das ist ganz einfach. Es sind Sachen für die Übergangszeit.	That's very simple. They are clothes for the fall.
Also . . . wir haben da zum Beispiel . . . schon wärmere Sachen.	Well, already we have for instance warmer things.

GESPRÄCH 3

F. Hören Sie sich jetzt das dritte Gespräch auf dem Tonband mehrmals an. Schreiben Sie die Übungen zu Teil A und Teil B im Buch. Die Übung 1 zu Teil C ist auf dem Tonband.

Manchmal ist die Person, die man um Auskunft bittet, überfragt, d.h. er/sie kann einem keine genaue Auskunft geben. Hier ruft eine Frau beim Fremdenverkehrsamt an, um ein Hotelzimmer zu buchen. Wie umgeht die Beamtin die schwierigen Fragen der Frau?

TEIL A: Was haben sie gesagt?

Hören Sie sich den Text mehrmals an. Ergänzen Sie die Ausschnitte, und beantworten Sie die Fragen unten.

Beamtin: *Hier Fremdenverkehrsamt Baden-Baden.*
Kimmerle: *Ooh gut, daß ich sie erreiche. Hier spricht Frau Kimmerle.*

(1) ____________________, ob Sie für den August noch Einzelzimmer mit Bad und WC anzubieten haben, so in der mittleren Preisklasse, so eine Art Mittelklassehotel.

B: *Im August. (2) ____________________, ja, ____________________ ____________________. Das wäre schon jetzt in einem Monat.*

K: *Ja.*

B: *Mmmmm. Das ist so die Hochsaison. (3) ____________________ ____________________ ja? (4) ____________________, Mittelklasse?*

K: *So ich habe mir so vorgestellt, so, ah, siebzig Mark vielleicht mit Frühstück.*

B: *Für . . . (5) ____________________*

K: *Ja, das, das . . . ich komme noch mit meinem Vater. Also wir wollen zwei Einzelzimmer nehmen.*

B: *Gut, ja. (6) ____________________. Ich hab' hier eine ganze Liste von Hotels. Moment. Ja, also da ist eines, das wäre allerdings ein Doppelzimmer, Übernachtung mit Frühstück für fünfundsechzig D-Mark. Und (7) ____________________ ____________________. (. . .)*

K: *Ja, ah (8) ____________________, kann man denn da den Hund mitbringen? Ich möcht' gern meinen Waldi mitbringen.*

B: *Oh, den Hund. (9) ____________________. Das kann ich Ihnen leider nicht sagen. (10) ____________________.*

K: *(11) ____________________, ob man ein Kinderbett aufschlagen kann, weil meine Nichte zu Besuch kommen will, übers Wochenende.*

B: *Och, (12) ____________________. Das weiß ich leider nicht. (. . .)*

TEIL B: Was haben sie getan?

Interpretieren Sie, was Sprecher und Hörer mit Worten getan haben. Notieren Sie, welche Funktion jeder der numerierten Sätze in der Transkription hat.

Was tun sie?	**Wie tun sie das?** (1)	(2)	(3)	(4)	(5)	(6)	(7)	(8)	(9)	(10)	(11)	(12)
um Auskunft bitten:	x											
Auskunft geben:												
unsicher sein:												
Antwort nicht wissen:												
genauer nachfragen:												
um Erklärung bitten:					x							

TEIL C: Was kann man noch sagen?

1. Wie antwortet man, wenn man unsicher ist? *(Übung auf dem Tonband)*

Da bin ich völlig überfragt.	Now that I don't know.
Ich muß mal gerade nachschauen/ nachgucken.	I have to look that up.
Das kann ich Ihnen leider nicht sagen.	I really couldn't tell you.
Also vermutlich ja, ich denke schon.	Well, presumably yes, I guess so.
Ich glaube, da müßten Sie dort direkt anfragen.	I think you'll have to ask them directly (rather than through me).
Das steht hier nicht in diesen Angaben drin.	That isn't really said [listed] here.

2. Wie kann man um genauere Information bitten? *(Übung mit der Klasse)*

Was stellen Sie sich denn da vor?	What do you have in mind actually?
Könnten Sie da etwas genauer sein?	Could you be a little more explicit?
Es hängt davon ab, je nachdem, wieviel Sie bezahlen wollen.	It depends on how much you want to spend.
Können Sie denn mal sagen, was Sie bezahlen möchten?	Could you tell me perhaps what you were thinking of spending?

REDEN

G. Wie fragt man? *(alle zusammen)*

UM AUSKUNFT BITTEN

Entschuldigung, könnten Sie mir sagen . . .	Excuse me, could you tell me . . .
Ich habe mal eine Frage.	I have a question.
Können Sie mir vielleicht irgendwie helfen?	Would you be able to help me?
Ich wollte mich erkundigen, . . .	I would like to find out . . .
Da müßte ich ja auch unbedingt wissen, . . .	Now I've got to find out . . .
Du, hast du gerade einen Moment Zeit?	Hey, do you have a minute?
Weißt du zufällig, wo (was, wie) . . .	Do you by any chance happen to know, where (what, how) . . .
Sag mal, . . .	Tell me . . .
Hast du eine Ahnung, wo (wer, wann) . . .	Do you have any idea where (who, when) . . .

Sprechen Sie andere in der Klasse an. Stellen Sie jede Frage zweimal: einmal an eine fremde Person auf der Straße oder im Geschäft mit „Sie"; dann wieder an einen

Freund (eine Freundin) mit ,,du". Die Angesprochenen sollen eine mögliche Auskunft erfinden.

ZUM BEISPIEL: die Buchhandlung ,,Walthari" / wo

A: Entschuldigung, könnten Sie mir bitte sagen, wo die Buchhandlung ,,Walthari" ist?
B: Um die Ecke hier, glaube ich.

(*oder*:)

A: Sag mal, wo ist eigentlich die Buchhandlung ,,Walthari"?
C: Die kann ich dir heute zeigen, auf dem Weg zur Uni.

1. die Post aufmachen / um wieviel Uhr
2. eine amerikanische Zeitung kaufen / wo
3. der Bus zur Konzerthalle fahren / um wieviel Uhr
4. gemütlich sitzen und Kaffee trinken / wo
5. die nächste Telephonzelle / wo
6. eine Fahrkarte für die Straßenbahn kosten / wieviel
7. die Buchhandlung wieder aufmachen / wann
8. viele Leute stehen hier auf der Straße / warum

H. Wie antwortet man? *(alle zusammen)*

memomer

EINE AUSKUNFT GEBEN

Ja, sicher.	Yes, certainly.
Einen Moment bitte, . . . da habe ich es.	Just a moment, please, . . . yes, here it is.
Also . . . wir haben da zum Beispiel . . .	Well, . . . we have for instance, . . .
Das kann ich Ihnen leider nicht sagen.	That I really couldn't tell you.
Nun ja, da muß ich erst überlegen, . . . wer/wo/wann	Let's see, I'll have to think who/where/when . . .
Also vermutlich ja, ich denke schon.	Well, presumably yes, I think so.
Könnten Sie da vielleicht etwas genauer sein?	Could you perhaps be a little more precise?

Sie sind in einer der folgenden Situationen und suchen Auskunft. Die Person, die Sie fragen: a) weiß sofort die Antwort oder b) hat die Information nicht oder c) ist unsicher. Tauschen Sie bei der nächsten Situation die Rollen.

- Sie schlagen zusammen mit einer Kommilitonin aus der Klasse ein Wort im Wörterbuch nach.
- Sie sind im Theater und wissen nicht, wo der Ausgang ist.
- Sie stehen an der Rezeption im Hotel und wollen wissen, ob man Karten fürs Theater heute abend bekommen kann.
- Sie stehen in der Buchhandlung und suchen ein Buch für Ihren amerikanischen Neffen, der noch nicht lesen kann.

- Sie lesen mit Ihrem Reisepartner den Reiseführer und wollen wissen, wann das Museum aufmacht.
- Sie stehen im Geschäft und suchen ein Geschenk für Ihre Schwester. Sie sprechen mit dem Verkäufer/der Verkäuferin.

REDEN MITREDEN

I. Wortschatzerweiterung. **Welche Substantive, Adjektive und Verben assoziieren Sie mit den folgenden vier Begriffen? Vergleichen Sie Ihre Listen mit den Listen von zwei anderen Studenten in der Klasse, und ergänzen Sie Ihre Listen.**

die Arbeit	das Geld
__________	__________
__________	__________
__________	__________
__________	__________

die Ausbildung	der Beruf
__________	__________
__________	__________
__________	__________
__________	__________

Wenn man über seine Arbeit spricht oder mit jemand über einen neuen Job spricht, braucht man oft die folgenden Ausdrücke. Wählen Sie für jeden Begriff das beste Synonym.

Was ist . . . ?

1. **der Hochschulabschluß**
   a) der letzte Tag der ,,high school"
   b) der Schlüssel
   c) das Diplom
2. **der Termin**
   a) das Semester
   b) die Endstation
   c) das Datum für ein Treffen
3. **die Anzeige**
   a) der Finger
   b) der Anzug
   c) die Annonce
4. **das Stellenangebot**
   a) die Zeitung
   b) der Hinweis auf eine Arbeitsmöglichkeit
   c) der Lohn

5. **der berufliche Werdegang**
   a) ein Spaziergang
   b) der Traumjob
   c) die berufliche Entwicklung
6. **absolvieren**
   a) entschuldigen
   b) beenden
   c) flüssig machen
7. **die Unterlagen**
   a) die Bettwäsche
   b) die Nachbarn
   c) der Lebenslauf, die Zeugnisse usw.

8. **das Zeugnis**
   a) die Bescheinigung
   b) die Sache
   c) die Zeitschrift
9. **kündigen**
   a) lernen
   b) kaufen
   c) eine Stelle verlassen

J. Eine Umfrage. *(alle zusammen)* Wählen Sie einen Beruf aus der folgenden Liste. Machen Sie eine Umfrage bei Ihren Klassenkameraden.

1. Kennen Sie Menschen in diesem Beruf?
2. Wenn ja, wie viele Männer und wie viele Frauen?

Berufe	**Wie viele**	
	Männer?	**Frauen?**
Deutschprofessor/in	______	______
Zahnarzt, -ärztin	______	______
Biologielehrer/in	______	______
Sekretär/in	______	______
Geschäftsführer/in	______	______
Verkäufer/in	______	______
Jurist/in	______	______
Schauspieler/in	______	______
Friseur, Friseuse	______	______
Briefträger/in	______	______
Taxifahrer/in	______	______
Kindergärtner/in	______	______
Busfahrer/in	______	______
Architekt/in	______	______
Programmierer/in	______	______

Berichten Sie vor der Klasse über das Ergebnis Ihrer Umfrage, und tragen Sie die Zahlen für die anderen Berufe in die Tabelle ein.

memo

so ungefähr	roughly, approximately
Ich weiß nicht genau.	I don't know exactly.
Ich kenne gar keine/ überhaupt keine.	I don't know any at all.

K. Rundfrage: Arbeitserfahrung. *(alle zusammen)* Stellen Sie in Ihrer Klasse (und eventuell in anderen Deutschklassen) eine Telephonliste zusammen. Rufen Sie drei Klassenkameraden an. Stellen Sie fest, welche Arbeitserfahrungen (Sommer-, Semesterjobs) sie gemacht haben. Tragen Sie für jede Person nur den Job ein, der ihm/ihr am besten gefallen hat. Besprechen Sie mit Ihrem Lehrer, wie man gewisse Jobs ins Deutsche übersetzen könnte!

	Student 1	Student 2	Student 3
Job	___	___	___
Ort	___	___	___
Dauer	___	___	___
Tätigkeit	___	___	___
Besondere Fähigkeiten	___	___	___

L. Stellenknappheit. *(Rollenspiel; in Paaren)*

Arbeitssuchende/r:
Obwohl es in Ihrem Fachgebiet nur wenige Stellenangebote gibt, meinen Sie, als Arbeitssuchende/r haben Sie besonders gute Chancen. Suchen Sie sich einen Beruf aus (siehe Liste S. 31) und sprechen Sie mit dem Arbeitgeber am Telefon. Erklären Sie ihm, wie Sie für diesen Beruf besonders geeignet sind. Sie wollen unbedingt einen Vorstellungstermin bekommen. Was für Erfahrung haben Sie und was erwarten Sie von dem Beruf? Zeigen Sie, daß Sie der ideale Kandidat für die Stelle sind.

memo

Ich kann (Verb) . . .	I am able to . . .
Man muß (Verb) . . .	You have to . . .
Vor allem ist wichtig . . .	The most important thing is . . .
Ich (Verb) gern / am liebsten . . .	I like to / like best to (verb) . . .

Arbeitgeber/in:
Sie haben Ihre Zweifel, ob diese Person die richtige ist. Versuchen Sie, so oft wie möglich zu unterbrechen.

memo

Wenn ich da etwas fragen darf . . .	If I may just ask a question . . .
Könnten Sie da etwas genauer sein?	Could you be a little more precise?
Ja, und das bringt uns (mich) auf eine weitere Frage . . .	Yes, and that brings me to a further question . . .
Da hätte ich noch eine Frage . . .	I also wanted to ask . . .

M. Wie antworten? *(in Gruppen zu viert)* Sie sind ausländischer Student an der Universität und brauchen Auskunft. Schreiben Sie drei oder vier Fragen auf, z.B. über Kurse, Zimmersuche, Freizeitaktivitäten, Studienberatung usw.

1. ______________________________
2. ______________________________
3. ______________________________
4. ______________________________

In Ihrer Gruppe stellt jeder als Fremder seine Fragen. Wer die Frage beantworten kann, darf die nächste Frage stellen.

memo

EINE ANTWORT GEBEN

Das ist ganz einfach.	It's very simply.
Also . . .	Well . . .
Nun . . .	Let's see . . .
Ja, das kann ich dir gern sagen.	I'd be glad to tell you.

GEGENFRAGE STELLEN

Wenn ich fragen darf . . . ?	If I may ask . . .

UNSICHER SEIN

Nun ja . . .	Well . . .
Es kommt darauf an.	It depends.
Ich gucke mal nach.	I'll check.
Ich würde dir/Ihnen gern helfen, aber . . .	I'd like to help you, but . . .
Nun, da muß ich erst überlegen . . .	Let me think . . .
Da muß ich erst nachschlagen.	Let me look it up (in the directory, etc.)

KEINE ANTWORT HABEN

Diese Frage ist aber schwer zu beantworten.	Hm, difficult question!
Keine Ahnung!	I've no idea.
Das weiß ich leider nicht.	Sorry, I don't know.
Das kann ich leider nicht sagen.	Sorry, I can't help you.
Dafür bin ich nicht zuständig.	I am not competent to tell you that.
Da bin ich überfragt.	That's beyond me.
Das weiß ich auch nicht.	I don't know that either.
Da kann ich Ihnen leider nicht helfen.	I am sorry, but I can't help you there.

REDEN MITREDEN DAZWISCHENREDEN

N. Persönliche Eigenschaften.

Die Person muß unbedingt (Verb) können.	The person must absolutely be able to (verb).
Der Beruf setzt voraus, daß . . .	That type of job requires that . . .
Man erwartet, daß . . .	It is expected that . . .
Vor allem finde ich, daß . . .	Mainly I think that . . .
Ich kann mich nicht entscheiden, ob . . .	I can't decide whether . . .

Parkhotel Frankfurt

Für unser renommiertes Hotel suchen wir

einen/e Sportlehrer/in

(Animateur Animatrice)

der oder die sich um das sportliche und gesundheitliche Wohl unserer Gäste kümmert (Sauna, Solarium, Fitnessgeräte und Jogging). Es handelt sich um eine Vollzeitbeschäftigung, die gut bezahlt wird. Bewerbungen richten Sie bitte an

Parkhotel Frankfurt
Personalabteilung
6000 Frankfurt am Main
Wiesenhüttenplatz 28—38
Telefon 069 / 26 97 - 88 52

Nur für die Besten....

. . . und die, die es werden wollen.

Wir suchen unternehmerisch denkende Außendienstmitarbeiter, die, wie wir, Ihre Arbeit lieben.

Wir bieten: Kreatives Arbeiten
Beste Aufstiegsmöglichkeiten
Leistungsgerechte Provisionen
Kein Marktloch, sondern einen Marktkrater
LAST NOT LEAST
Ein ungewöhnliches Unternehmen

IFS GmbH – Institut für Seminartraining und Personalberatung
Telefon 0 60 74 / 2 50 11 - 12, Montag ab 9.00 Uhr

Offene Stellen

Wir sind einer der führenden Verleger und Hersteller von Glückwunschkarten in der Bundesrepublik.

Grafiker

Für die Gestaltung neuer Motive suchen wir in freier Mitarbeit

Kunstmaler
Illustratoren

mit Talent für gute Ideen und schöne Entwürfe in allen Stilrichtungen.

Bitte senden Sie uns einige Arbeitsproben oder rufen Sie uns an, wenn Sie diese Aufgabe interessiert.

Albert Horn Söhne
Schulstraße 29, 6234 Hattersheim 1
Telefon: 06190/3081

Echte Chance für einen Reisebürofachmann

wenn Sie
- über eine gründliche kaufmännische Ausbildung und Reisebüroerfahrung verfügen
- gute Englisch- und Französischkenntnisse haben
- sich durch Kontaktfreudigkeit, Teamgeist, Initiative und Selbständigkeit auszeichnen
- zwischen 26–35 Jahren alt sind

könnten Sie

Geschäftsführer/Direktor

unserer Firma, Sitz in Basel, mit folgendem Aufgabenbereich werden:

- Sie sind für die Führung eines kleinen Teams von Mitarbeitern, die Organisation und den Ausbau der Administration und das Lösen von sachbezogenen Problemen verantwortlich.
- Sie pflegen Kontakte zu unseren Kunden und sind für die Vertragsabwicklung und die Verkaufsförderung zuständig.
- Sie planen und überwachen die wirtschaftliche Entwicklung unserer Firma und erarbeiten Ideen zur Verbesserung unserer Reiseprogramme.

Fühlen Sie sich angesprochen? Senden Sie bitte Ihre Bewerbung mit den üblichen Unterlagen an Chiffre 13-533658, Publicitas, 4010 Basel. Absolute Diskretion ist selbstverständlich.

401663

Die Hessische Landesanstalt für Umwelt
in WIESBADEN

sucht zum alsbaldigen Eintritt:

Elektrotechniker(in)

der **FACHRICHTUNG ELEKTRONIK**

mit staatlicher Abschlußprüfung als technischer Mitarbeiter/ Mitarbeiterin im Fachgebiet Emissionsbewertung/Wirkung von Luftverunreinigungen.

Das Aufgabengebiet umfaßt die Wartung und Instandhaltung der Luftmeßstationen in Reinluftgebieten im Rahmen des Meßprogramms „Waldbelastung durch Immissionen".

Die Tätigkeit ist zu einem großen Teil im Außendienst zu verrichten; der Führerschein der Klasse III ist hierzu Voraussetzung.

Die Eingruppierung erfolgt nach Vergütungsgruppe VI b — oder bei Vorliegen einschlägiger mehrjähriger Berufserfahrung nach Vergütungsgruppe V c — des Bundesangestelltentarifvertrages (BAT).

Interessenten wollen sich **bis zum 24. 8. 1984** schriftlich mit Unterlagen (Lebenslauf, Lichtbild, Zeugnissen etc.) bei der

Hessischen Landesanstalt für Umwelt
Aarstraße 1, 6200 Wiesbaden,

bewerben.

	sich durchsetzen können	Phantasie haben	kontaktfähig sein	Energie haben	überzeugend auftreten			
Grafiker(in)								
Leiter(in) eines Reisebüros								
Sportlehrer(in)								
Elektrotechniker(in)								
Verkäufer (Außendienst)								

Nennen Sie drei weitere persönliche Eigenschaften, die für diese Berufe wichtig sind. Tragen Sie sie in die Tabelle ein. In Ihrer Gruppe einigen Sie sich bei jedem Beruf auf die wichtigste Eigenschaft und tragen Sie die Zahl „1" in die Tabelle ein. Besprechen Sie weiter, wie Sie die anderen Eigenschaften auf einer Skala von 2 bis 8 anordnen wollen, und tragen Sie die Zahlen ein.

O. Das Bewerbungsschreiben. *(sechs Spielteilnehmer)* Die sechs Teilnehmer sollen sich für eins der Stellenangebote (auf. S. 34–35) entscheiden. Drei vertreten die Firma und drei sind die Bewerber. Entscheiden Sie in Ihrer Gruppe, (1) was Sie als Firma erwarten oder (2) was Sie als Kandidat anbieten.

Gruppe 1:

Als Firmenvertreter, nennen Sie die Eigenschaften, Fähigkeiten und Ausbildung, die Sie vom Kandidaten erwarten.

Stellenangebot: ______________________________

Wir (die Firma) erwarten:

____

____

____

____

Gruppe 2:

Als Kandidat/in stellen Sie eine Liste Ihrer wichtigsten Eigenschaften zusammen.

Stellenangebot: ______________________________

Ich als Kandidat/in biete an:

____

____

____

Schreiben Sie ein Bewerbungsschreiben in Form eines Briefes an den Arbeitgeber. Stellen Sie sich kurz vor, schreiben Sie, was Sie zur Zeit machen, und warum Sie eine neue Stelle suchen. (siehe Briefformat unten)

Ihre Adresse
und Telephonnummer

Ort, Datum

Arbeitgeber
und Adresse

Betr.: Ihr Stellenangebot vom . . . (Datum)

Sehr geehrte Damen und Herren,

Ihre Anzeige in . . . vom . . . habe ich mit großem Interesse gelesen.

____

____

____

Die nötigen Unterlagen füge ich bei. Über eine baldige Antwort würde ich mich sehr freuen.

Mit freundlichen Grüßen
(Ihre Unterschrift)

Anlagen: Lebenslauf, Lichtbild, Schulzeugnisse

P. Das Vorstellungsgespräch. *(Fortsetzung von O.)*

memo

Ich bin am 2. Februar 1963 in Boston geboren.	I was born on February 2, 1963 in Boston.
Ich habe in Chicago die High School/das Gymnasium besucht.	I went to high school in Chicago.
1980 habe ich die High School/das Gymnasium absolviert.	I graduated from high school in 1980.
Das Studium der Informatik habe ich 1984 mit dem B.S. abgeschlossen.	I received a B.S. in computer science in 1984.
Meine Hauptfächer waren Physik und Mathematik.	I had a double major in physics and math.
Ich habe ein Jahr an der Universität Freiburg studiert.	I studied at the university in Freiburg for one year.
Seit 1982 bin ich verheiratet.	I've been married since 1982.
Zum 15. Januar habe ich bei der BASF gekündigt.	I quit my job at BASF on January 15.

In Ihrer Gruppe verteilen Sie die Rollen:

- ein Personalchef (leitet das Gespräch)
- zwei Betriebsdirektor(en) (treffen die Entscheidung.)
- drei Bewerber um eine Stelle

Schreiben Sie auf, um was für ein Stellenangebot es sich handelt (siehe Aktivitäten N, O oben).

Stellenangebot: ______________________________

TEIL A: Vorbereitung

Der Personalchef notiert sich (in Stichworten) fünf Fragen:

1. ______________________________
2. ______________________________
3. ______________________________
4. ______________________________
5. ______________________________

TEIL B: Gespräch

Der Personalchef interviewt jeden Kandidaten. Der Betriebsdirektor nimmt auch am Gespräch teil. Er soll die Eigenschaften und Fähigkeiten aufschreiben, die der Kandidat besitzt, und ihm/ihr dann eine Gesamtnote geben.

	Eigenschaften, Fähigkeiten	Gesamtnote (1–5)
Kandidat 1	______________	________
Kandidat 2	______________	________
Kandidat 3	______________	________

TEIL C: Beratung

Der Betriebsdirektor und der Personalchef haben zehn Minuten Zeit, um eine Entscheidung zu treffen und zu begründen.

	anstellen: ja/nein	Begründung
Kandidat 1	______________	______________________________
Kandidat 2	______________	______________________________
Kandidat 3	______________	______________________________

Währenddessen soll jeder Kandidat eine Kritik über den Personalchef schreiben:

Meine Kritik am Vorstellungsgespräch:

- Die Fragen waren relevant/nicht relevant.
- Die Personen waren höflich/unfreundlich.
- Fragen, die nicht gestellt wurden:

1. ______________________________
2. ______________________________
3. ______________________________

Was ich nicht gesagt habe:

____

Am Ende verkündet der Personalchef, wer die Stelle erhält und warum. Die Kandidaten erzählen, was sie vom Interview halten.

Q. Alibi. *(in Gruppen zu fünft)* Bilden Sie Gruppen von fünf Personen: zwei Angestellte, zwei Richter, ein Polizist. Die zwei Angestellten werden wegen Diebstahls verdächtigt.

TEIL A: Vorbereitung

Die beiden Angestellten denken sich ein Alibi aus. Sie waren in der genannten Zeit zwischen 12 und 14 Uhr zusammen und taten beide dasselbe. Zeit: 5 Minuten.

Unser Alibi: ______________________________

Die beiden Richter und der Polizist legen fest, was gestohlen worden ist (siehe Liste). Überlegen Sie sich zusammen Auskunftsfragen und notieren Sie sie stichpunktartig. Sie dürfen nicht fragen: „Haben Sie das Verbrechen begangen?" Zeit: 5 Minuten.

mögliche Diebstähle:

- eine Schreibmaschine / einen Computer / aus dem Büro
- die Lohnschecks
- das Geld aus dem Tresor
- der Ordner mit wichtiger Patentkorrespondenz
- der Werkzeugkasten

Unsere Fragen:

1. ______________________________
2. ______________________________
3. ______________________________
4. ______________________________
5. ______________________________

TEIL B: Das Verhör

Der Polizist befragt jeden Angestellten. Die Richter hören auch zu und notieren sich die Antworten. Zeit: 5 Minuten pro Person.

Erster Angestellter:

1. ______________________________
2. ______________________________
3. ______________________________
4. ______________________________
5. ______________________________

Zweiter Angestellter:

1. ______________________________
2. ______________________________
3. ______________________________
4. ______________________________
5. ______________________________

Nun können die zwei Angestellten ihre Antworten vergleichen. Die Richter vergleichen die zwei Alibis und müssen entscheiden, ob die Alibis dasselbe sagen oder nicht.

DAS RECHTE WORT ZUR RECHTEN ZEIT

Wissen Sie, was man in der folgenden Situation sagen könnte?

R. Auf der Straße.

1. Sie erklären einer Freundin, wie man zu Ihnen kommt. Sie sagt: „Moment, das habe ich nicht mitgekriegt."

   Sie: „______________________________"

2. Ein Fremder hält Sie an und fragt Sie: „Können Sie mir sagen, wie ich zum Museum komme?" Wie beginnen Sie Ihre Antwort?

   A. Sie (helfen ihm): „ ______________________________"

   B. Sie (wissen nicht): „ ______________________________"

   C. Sie (brauchen Zeit zum Überlegen):

   „ ______________________________"

3. Der Fremde dankt Ihnen: „Vielen (Schönen) Dank."

   Sie: „ ______________________________"

4. Sie sind ein Stück mit ihm gegangen, um ihm den Weg zu zeigen. Er dankt Ihnen: „Ich danke Ihnen vielmals für Ihre Hilfe!"

   Sie: „ ______________________________"

S. In der Klasse.

1. Sie wollen den Lehrer etwas fragen. Sie heben die Hand. Was sagen Sie?

   ,, ____ ''

2. Sie haben etwas nicht verstanden. Was sagen Sie?

   ,, ____ ''

3. Sie haben etwas nicht gehört (akustisch nicht verstanden). Was sagen Sie?

   ,, ____ ''

Vokabeln
die ich aus diesem Kapitel
festhalten möchte:

KAPITEL 3

GEMEINSAM PLANEN UND ORGANISIEREN

3

„Die Sache ist die ...“

DAS KONVERSATIONSSPIEL

THROWING THE BALL

Conversations work best when there is real cooperation between speakers and listeners. The active listener will catch the ball and be ready to throw it again. Here are some ways you can become involved in a conversation.

TAKING THE FLOOR

If you want to take the floor, but don't know how to step in, don't raise your hand. Just look at the previous speaker and use any of the following starters to attract his/her attention and, possibly, interrupt.

memo

Ja, also . . .
Ja, weißt du . . .
Ja, Moment mal . . .
Ja, ich möchte was sagen . . .
Ja, ich muß was dazu sagen . . .
Noch etwas: . . .

GAINING TIME

If you need time to think, show the others that you might have something to say. Use any of the following hesitation markers, or a combination thereof, then give your opinion:

memomemom

nun . . .
also . . .
na ja . . .
tja . . .
eigentlich . . .

STATING AN OPINION:

Ich finde . . .	I think . . .
Ich meine . . .	I think, I believe . . .
Ich denke . . .	I think . . .
Ich bin überzeugt, daß . . .	I'm convinced, that . . .
Meiner Meinung nach . . .	In my opinion . . .
Meines Erachtens . . .	In my opinion . . .
Ich finde nicht . . .	I don't think . . .
Das stimmt nicht . . .	It's wrong (incorrect) that . . .
Ich bin ganz anderer Meinung . . .	I'm of the other opinion . . .

Note: **Ich glaube** is only used when you are *not* sure that what you are saying is right.

THROWING THE BALL BACK

When you have taken your turn, throw back the ball by adding **nicht?** or **oder?** at the end of a sentence, or by offering the next turn to a person of your choice.

EXAMPLES: Das ist doch eine Unverschämtheit, **nicht?**
Ich finde, das ist eine prima Idee, **oder?**
Der Film hat mir gut gefallen, **und dir? Was meinst du?**
Sie finden das doch auch, **nicht wahr?**

In the following two role-plays, try to attract the attention of a partner and direct the conversation using the above-mentioned strategies. Limit your exchange to two minutes.

A. Lästiger Besuch. *(in Gruppen zu dritt)* Sie und Ihr/e Freund/in sind in einer Bar und erzählen sich Ihre neuesten Abenteuer. Ein Bekannter kommt zu Ihnen und will Sie unterbrechen. Sie wollen auf keinen Fall mit ihm sprechen, und Sie reden weiter, als ob er nicht da wäre.

Sie sehen Ihre beiden Freunde in der Bar sitzen und wollen unbedingt mit ihnen sprechen. Sie gehen hin und versuchen, in die Unterhaltung einzusteigen.

B. Schon wieder! *(in Paaren)* Sie sitzen allein im Café. Ein Bekannter kommt auf Sie zu und will Ihnen schon wieder einen seiner dummen Witze erzählen. Sie müssen alles tun, damit er Ihnen seinen Witz nicht erzählt.

Sie gehen zu einem Bekannten hin und erzählen ihm den neuesten Witz, den Sie gehört haben. Sie müssen ihn zum Lachen bringen.

HÖREN UND VERSTEHEN

Wie macht man das auf englisch?

C. A German-speaking friend has been chosen to organize a big party for her English class. She has come to you for some typical English expressions to use in 1) setting up a location and time, 2) brainstorming the menu and some activities, and 3) dividing up responsibilities. Write down some expressions she could use for each point.

1. describing the time and location for the invitations
2. brainstorming discussion
3. outlining tasks, getting others to act

GESPRÄCH 1

D. Hören Sie dem ersten Gespräch auf dem Tonband mehrmals zu, und dann machen Sie die Übung zu Teil A im Buch und die Übung 1 zu Teil B auf dem Tonband.

Ein Tourist erzählt dem anderen, was er heute in München alles besichtigen will. Er hat schon den Morgen und den Nachmittag ziemlich voll geplant.

TEIL A: Was haben sie gesagt?

Tragen Sie den Tagesplan des Touristen ein.

Uhrzeit	Ort	Sehenswürdigkeit
________	________	________
________	________	________
________	________	________
________	________	________
________	________	________

TEIL B: **Was kann man noch sagen?**

1. Wie kann man jemand fragen, ob und welche Pläne er/sie hat? *(Übung auf Tonband)*

Was hast du denn vor?	What do you intend to do?
Wie sieht es bei dir heute aus?	How are things for you today?
Hast du für heute schon einiges geplant?	Did you make some plans for today?
Was hast du dir denn vorgenommen?	What have you decided to do?

2. Wie fängt man an, über einen Plan zu reden? *(Übung mit der Klasse)*

Ich habe mir vorgenommen, . . .	I have resolved to . . .
Ich habe heute vor, . . .	Today I plan to . . .
Ich dachte, ich könnte . . .	I'm thinking of . . .

3. Wie macht man die zeitliche Organisation klar? *(Übung mit der Klasse)*

Da mußt du dich ganz schön ranhalten.	You've got to get/keep a move on.
Nachher kann ich gleich . . .	After that I can (go) straight . . .
Danach kann ich dann . . .	After that then I can . . .
Ich werde dann so gegen Viertel nach zwölf . . .	At about quarter after twelve I'll . . .
Spätestens um halb eins möchte ich . . .	One-thirty at the latest I would like to . . .
Dann schaffe ich es hoffentlich bis halb eins . . .	Then I'll make it hopefully by twelve-thirty . . .
Anschließend . . .	Afterwards . . .

GESPRÄCH 2

E. Hören Sie sich jetzt das zweite Gespräch mehrmals an. Schreiben Sie die Übungen zu Teil A und Teil B im Buch. Die Übung 1 zu Teil C ist auf dem Tonband.

Sie hören wie zwei Arbeitskollegen besprechen, wie sie ihr Büro umräumen wollen. Jeder hat seine eigene Vorstellung und sie sind nicht immer gleicher Meinung.

TEIL A: **Was haben sie gesagt?**

Hören Sie sich den Text mehrmals an, und ergänzen Sie den Ausschnitt unten.

Renate: *Du, das Büro finde ich unmöglich, wie es jetzt so ist.*
Martin: *Was, was meinst du?*
Renate: *Umräumen! Alles umräumen!*

Martin: *Oh, Gott. (1) ______________________.*

Renate: *Also guck mal. (2) ______________________ ich am Schreibtisch mehr Licht hab'.*

Martin: *(3) ______________________ anders.*

Renate: *Doch, doch. (4) ______________________, wenn ich den Tisch am Fenster hätte?*

Martin: *Na ja aber hmmmmm, neben dem Fenster. Aber (5) ______________________, daß wir dann beide den Rücken zur Tür haben?*

Renate: *(6)* ____?
Martin: *Hmm. Ich hab's. Wir stellen unsere Tische in der Mitte zusammen, so vis à vis.*
Renate: *(7)* ____. *Kannst du denn so arbeiten?*
(. . .)

TEIL B: Was haben sie getan?

Interpretieren Sie, was Sprecher und Hörer mit ihren Worten getan haben. Verwenden Sie dabei die Verben in der folgenden Liste.

- nach einem möglichen Plan fragen
- Argumente strukturieren/aufzählen
- gegen einen Plan sprechen
- einen Vorschlag machen

(1) Martin fragt sie nach ihrem Plan.
(2) Renate ____
(3) Martin ____
(4) Renate ____
(5) Martin ____
(6) Renate ____
(7) Renate ____

TEIL C: Was kann man noch sagen?

1. Wie lehnt man einen Vorschlag ab? Wie kann man sagen, daβ eine Idee einem nicht paβt? *(Übung auf Tonband)*

Das klappt nun sicher nicht.	That's surely not going to work.
Was sollen wir denn sonst machen?	What else should we do? (We have no alternative.)
Wie willst du denn das anders machen?	How else do you want to do it?
Das geht aber doch nicht anders.	There is no other way to do it.
Das geht bestimmt nicht gut.	That's definitely not going to work out.

2. Wie kann man ausdrücken, daβ man Zweifel hat (daβ man mit dem Plan nicht richtig einverstanden ist), aber trotzdem mitmacht? *(Übung mit der Klasse)*

Wenn ich es mir so überlege, na gut.	Now that I think about it, okay.
Dann machen wir es halt.	Then we'll just do it.
Wenn du unbedingt willst.	If you really want to.
Eigentlich ist es mir egal.	Actually I don't really care.

GESPRÄCH 3

F. Hören Sie sich jetzt das dritte Gespräch mehrmals an. Schreiben Sie die Übungen zum Teil A und Teil B im Buch. Die Übung 1 zu Teil C ist auf dem Tonband.

Ein junger, aufstrebender Geschäftsmann hat keine Zeit, um mit seinen Kolleginnen am Nachmittag segeln zu gehen.

TEIL A: Was haben sie gesagt?

Hören Sie sich den Text mehrmals an, und ergänzen Sie die Transkription unten.

Renate: *Oh hallo Martin. Gut, daß ich dich treffe. (1) ______________________ mit Helga und mir heute nachmittag am . . . an den Wannsee segeln kommen.*

Martin: *Na, also, ihr zwei habt immer nur Freizeit im Kopf. Na, ich glaube, es wird nichts heute nachmittag. (2) ______________________ würde ich gern mitgehen, ganz besonders natürlich mit euch beiden,*

(3) ______________________ habe ich doch hier jetzt hmmmm, ein Projekt am Laufen, und das muß ich heute nachmittag durchziehen.

(4) ______________________ äh das heißt, ihr wißt ja, daß ich mich jetzt verbessern will, daß ich eine neue Stelle suche. Erstensmal muß ich hmmm, mir Gedanken machen, wie ich mein . . . wie meine jetzige Tätigkeit aussieht, muß das niederschreiben.

(5) ______________________ hab' ich schon einen tabellarischen Lebenslauf geschrieben. Den muß ich umschreiben in eine sachlich berichtende Form. (6) ______________________ muß ich mir dann noch 'ne alte, noch 'ne gute Schreibmaschine ausleihen, denn meine alte, die ist doch nicht mehr das Wahre.

Helga: *Ach schade. Denk doch mal an das Wetter, wie schön das draußen ist. Vielleicht geht's dir dann leichter von der Hand, hinterher.*

Martin: *(7) ______________________, mein Plan, der steht halt nun mal fest für heute nachmittag.*

TEIL B: Was haben sie getan?

Interpretieren Sie, was Sprecher und Hörer mit ihren Worten getan haben. Verwenden Sie dabei die Verben in der folgenden Liste.

- einen Vorschlag machen
- Argumente strukturieren
- Punkte aufzählen
- einen Vorschlag ablehnen

(1) Renate ______________________

(2) Martin strukturiert seine Argumente.

(3) Martin ______________________

(4) Martin ______________________

(5) Martin ______________________

(6) Martin ______________________

(7) Martin ______________________

TEIL C: Was kann man noch sagen?

1. Wie strukturiert man seine Antwort? *(Übung auf Tonband)*

Auf der einen Seite . . . , auf der anderen Seite . . .	On the one hand . . . , on the other hand . . .
Zwar . . . , aber . . .	It's true . . . , but . . .
Einerseits . . . , andererseits . . .	On the one hand . . . , on the other hand . . .

2. Wie kann man verschiedene Punkte aufzählen? *(Übung mit der Klasse)*

Zum ersten / Erstensmal . . . . Zum zweiten . . . . (Zum dritten)	In the first place, ... Secondly . . . . (Thirdly)
Erstens . . . . Zweitens . . . . (Drittens . . . .)	(point) one . . . . two . . . . (three . . . .)
Zuerst / Zunächst . . . . Dann / Danach	First / First of all . . . . Then / After that . . . .

REDEN

G. Ich schlage vor . . . *(alle zusammen)*

memomemome

EINEN VORSCHLAG MACHEN

Wie wäre es, wenn . . .	How would it be if . . .
Ich möchte (*Verb*) / Ich würde gern . . .	I'd like to . . .
Ich hab's!	I've got it! (a great idea)

EINEN VORSCHLAG AKZEPTIEREN

Das klingt gut.	That sounds great.
Das hört sich gut an.	That sounds like a good idea.
Du hast recht.	You're right.
Also abgemacht!	OK, it's settled.

EINEN VORSCHLAG ABLEHNEN

Das geht überhaupt nicht.	That won't work at all.
Na ja, aber . . .	OK, but . . .
Das ist zwar alles schön und gut, aber . . .	That's all very well, but . . .
Das geht bestimmt nicht gut.	That won't work for sure.
Na ja, da bin ich nicht so sehr dafür.	I'm not really for that.
Ich hätte da einen besseren Vorschlag.	I've got a better idea.

Eine Person schlägt einen Plan für die Semesterferien vor. Darauf reagieren die anderen der Reihe nach entweder positiv oder negativ.

z.B.: eine Fahrradtour durch das Frankenland machen

A: Wie wäre es, wenn wir eine Fahrradtour durch das Frankenland machen?
B: Das klingt gut.
C: Na ja, aber ich habe leider kein Fahrrad.
D: Ich auch nicht. Da hätte ich einen besseren Vorschlag.

1. eine Bergwanderung in Tirol machen
2. eine Ferienwohnung am Bodensee mieten
3. auf einer Nordseeinsel einen Zeltplatz mieten
4. mit dem Auto nach Prag fahren
5. einen Studentenflug nach Madrid buchen

H. Wohin damit? *(alle zusammen)*

memomen

RÄUMLICH STRUKTURIEREN — FRAGEN

Wo soll ich das hintun?	Where should I put this?
Wo kommt das hin?	Where does this go?
Wo kann ich das hinlegen/ /hinstellen/hinsetzen/ hinhängen?	Where can I lay this down/ /stand/set/hang?

ANTWORTEN *(mit der Hand zeigen)*

Hierhin!	Over here!
Dorthin!	Over there!
Irgendwohin, es ist egal.	Anywhere. It doesn't matter.
Etwas mehr nach rechts/links/ nach vorn/hinten/oben/ unten.	A little more to the right/left/ front/back/higher/lower.

Sie wollen eine Szene aus einem Theaterstück, das Sie gerade zusammen in der Deutschklasse gelesen haben, etwas genauer besprechen. Eine Person zeichnet das Bühnenbild, die anderen sollen sagen und mit dem Finger zeigen, wo alles hin soll. Besprechen Sie, warum Sie die Szene so arrangieren wollen und nicht anders.

1. das Bett
2. der Tisch
3. der Eingang
4. das Photo der Mutter
5. zwei Stühle
6. ein alter Teppich
7. der junge Mann
8. seine Mutter
9. sein Lehrer

I. Eins nach dem anderen. *(alle zusammen)*

memo

IDEEN STRUKTURIEREN – ZEITLICH

zunächst einmal . . . , danach . . .	first of all . . . , afterwards . . .
zuerst einmal . . . , später . . .	first of all, later . . .
vorher / nachher	before(hand) / after that
wie immer / nach wie vor	as usual / as always
schließlich . . .	finally / in the end . . .

Erklären Sie, wie Sie in den folgenden Situationen Ihre Zeit organisieren:

1. jeden Morgen bevor ich aus dem Haus gehe:
   - die Tür abschließen
   - sich die Zähne putzen
   - sich rasieren
   - den Haustürschlüssel suchen
   - frühstücken
   - die Katze füttern
   - den Fernseher ausschalten
2. am letzten Tag vor der Abreise in den Urlaub:
   - Benzin tanken und Öl kontrollieren / nachsehen
   - den Koffer packen
   - Blumen gießen
   - Reiseschecks besorgen
   - die richtige Straßenkarte suchen
   - Reiseproviant kaufen
   - den Nachbarn den Wohnungsschlüssel geben

Damit Sie für einen schönen Urlaub nichts vergessen

Die schönste Jahreszeit – wie der Urlaub gelegentlich genannt wird – steht jetzt bevor. Damit er rundum gelingt und Sie nichts Wichtiges dazu in Ihrem Reisegepäck vergessen, gibt Ihnen die Hamburg-Münchener Ersatzkasse nachstehend eine Liste zur Hand, auf der Sie notwendige und weniger notwendige Dinge abhaken können. Die Liste erhebt nicht den Anspruch auf Vollständigkeit, doch was auf ihr genannt ist, sollten Sie unbedingt dabeihaben.

- ○ Personalausweis/Reisepaß
- ○ Krankenschein/Internationaler Krankenschein
- ○ Impfbuch
- ○ Reiseunterlagen (Buchungsbelege des Reisebüros, Adresse und Telefonnummer des Urlaubsquartiers, eventuell Hotelgutscheine, Flug- oder Bahntickets usw.)
- ○ Reisegeld/Devisen
- ○ Führerschein
- ○ Autopapiere
- ○ Grüne Versicherungkarte
- ○ Zweitschlüssel für das Auto
- ○ Autokarten
- ○ Abschleppseil/Überbrückungskabel
- ○ Autowerkzeug
- ○ D-Schild
- ○ Reservekanister
- ○ Sonnenbrille
- ○ Sonnenschutzcremes
- ○ Badezeug
- ○ Regenzeug
- ○ Gummistiefel
- ○ Wanderschuhe
- ○ Fotoausrüstung
- ○ Fernglas
- ○ Nähzeug
- ○ Schreibzeug
- ○ Lesebrille
- ○ Spiele
- ○ Bücher
- ○ Sicherheitsnadeln
- ○ Wecker
- ○ Papiertücher
- ○ Toilettenpapier
- ○ Zeitungen um- oder abbestellen
- ○ Post umbestellen
- ○ Wohnungsschlüssel zum Nachbarn geben
- ○ Blumen gießen organisieren
- ○ Urlaubsadresse bei Freunden oder Nachbarn hinterlegen
- ○ Heimatadressen und Telefonnummern von Freunden und Nachbarn notieren und mitnehmen
- ○ Reisegepäckversicherung

Haus-Apotheke

- ○ Verbandszeug
- ○ Pflaster
- ○ Mullbinden
- ○ Insektensalbe
- ○ Salbe gegen Verstauchungen
- ○ Schmerztabletten
- ○ Kohletabletten
- ○ Fieberthermometer
- ○ Wärmflasche
- ○ Vom Arzt verordnete Medikamente

J. Die Sache ist die . . . *(alle zusammen)*

memo

WICHTIGSTE PUNKTE EINORDNEN

Auf der einen Seite . . . , auf der anderen Seite . . .	On the one hand . . . , on the other hand . . .
Zwar . . . , aber . . .	It's true . . . , but . . .
Erstens . . . . Zweitens . . . . Drittens	In the first place . . . . Secondly . . . . Thirdly . . . .
Zuerst/Zunächst . . . . Dann/Danach	First/First of all . . . . Then/After that . . . .

Erklären Sie, warum Sie zu den folgenden Fragen „nein" sagen müssen. Ordnen Sie Ihre Gründe mit Hilfe der Redemittel oben ein.

1. „Kommst du heute abend mit ins Kino?"
   - von dem Regisseur Schlechtes gehört
   - dieser Film hat schlechte Kritiken bekommen
   - heute abend kommt eine interessante Sendung im Fernsehen
   - Geld sparen wollen für ein neues Fahrrad
   - während der Woche so früh aufstehen müssen

2. „Hast du abends immer viel Zeit für dich?"
   - für die Wohngemeinschaft heute das Abendessen kochen
   - den Gemeinschaftsraum aufräumen
   - die Einkaufsliste fürs Wochenende aufschreiben
   - Dienstag abends Tennis spielen
   - oft bis elf am Computer sitzen

REDEN MITREDEN

K. Was sehen wir uns an? *(in Paaren)* Als Reiseleiter beim Münchner städtischen Verkehrsamt besprechen Sie und Ihr Kollege eine Tour für amerikanische Studentengruppen. Die Tour soll von 8 bis 12 Uhr dauern. Der Nachmittag ist frei für einen Stadtbummel. Wo soll die Gruppe hingehen und wann? Entscheiden Sie, welche drei Sachen man unbedingt sehen soll.

wann?	**was?**
um 8 Uhr	Verkehrsamt
______________________	______________________
______________________	______________________
______________________	______________________

Und wenn die Gruppe noch Zeit übrig hat, welche zwei weiteren Sehenswürdigkeiten soll sie noch besichtigen?

____

____

Nun schreiben Sie zusammen eine Anzeige für das Auslandsamt der Münchener Universität. In der Anzeige sollen nur die wichtigsten Informationen stehen, die amerikanische Studenten brauchen, um sich für diese Tour anzumelden.

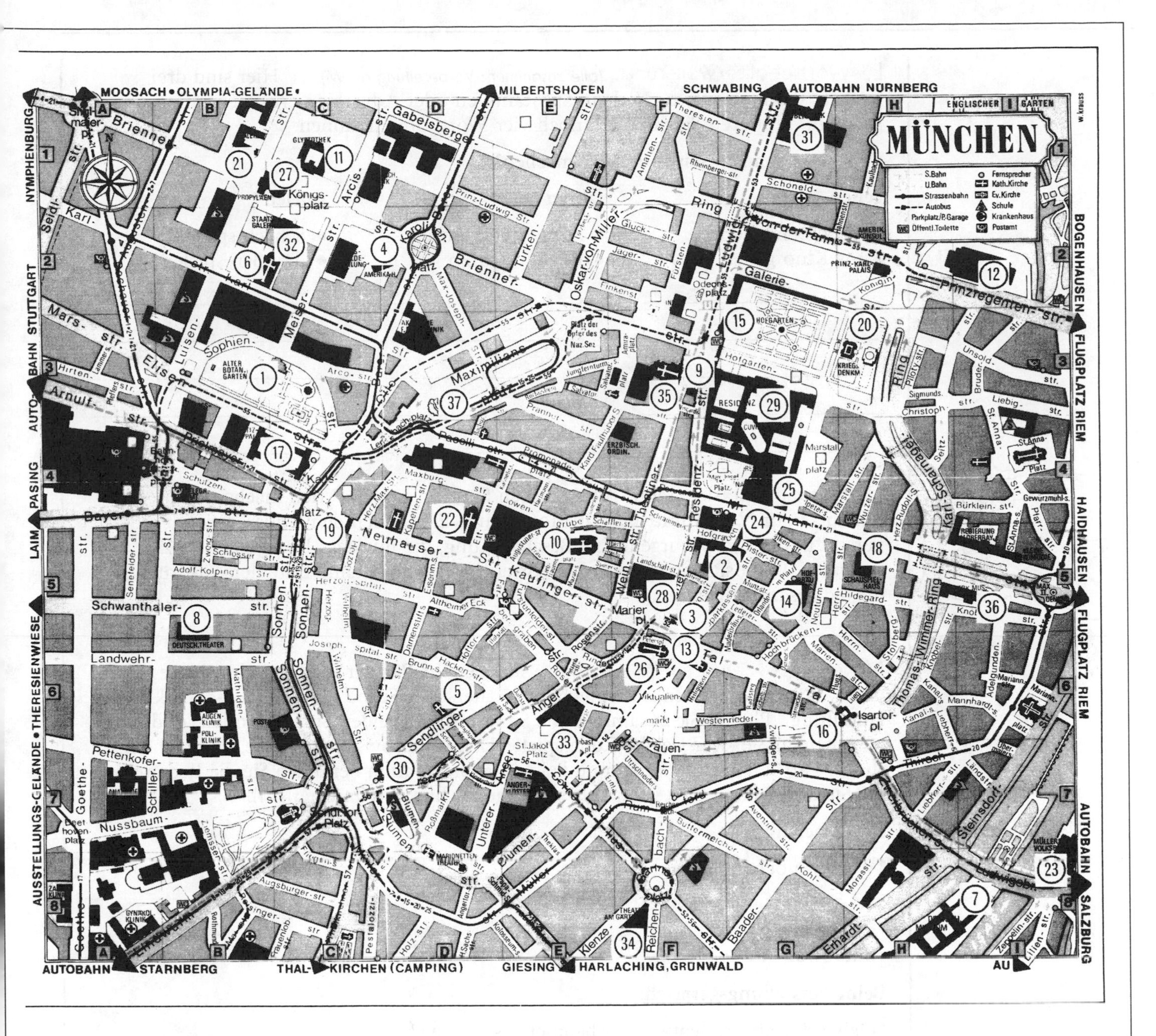

SEHENSWÜRDIGKEITEN

1 Alte Pinakothek
Alter Botanischer Garten BC 3
2 Alter Hof FG 5
3 Altes Rathaus F 5–6
4 Amerikahaus CD 2
5 Asamkirche D 6
6 Basilika St. Bonifaz BC 2
7 Deutsches Museum HI 8
8 Deutsches Theater B 5
9 Feldherrnhalle F 3
10 Frauenkirche (Dom) E 5
11 Glyptothek C 1
12 Haus der Kunst I 2
13 Heiliggeist-Kirche F 6
14 Hofbräuhaus G 5
15 Hofgarten G 2–3
16 Isartor HG 6
17 Justizpalast BC 4
18 Kammerspiele H 5
19 Karlstor C 4–5
20 Kriegerdenkmal H 3
21 Lenbach-Galerie B 1
22 Michaels-Kirche D 4–5
23 Müllersches Bad I 7–8
24 Münzhof G 4–5
25 Nationaltheater G 4
26 Peterskirche F 6
27 Propyläen BC 1
28 Neues Rathaus F 5
29 Residenz
Cuvilliétheater FG 3–4
30 Sendlinger Tor CD 7
31 Staatsbibliothek G 1
32 Staatsgalerie C 2
33 Stadtmuseum E 6
34 Theater am Gärtnerplatz F 8
35 Theatinerkirche F 3
36 Völkerkundemuseum HI 5
37 Wittelsbacher Brunnen D 3

L. Wortschatzerweiterung. *(alle zusammen: Vorbereitung auf M)* Hier sind drei Verben, die mit anderen Verben, Substantiven oder Adverbien ergänzt werden können. Notieren Sie pro Verb noch vier Wortkombinationen.

Was kann man in seiner Freizeit machen?

gehen	**fahren**	**spielen**
• spazierengehen	• zum Strand fahren	• Schach spielen
• ins Kino gehen	• Fahrrad fahren	• draußen spielen
______________	______________	______________
______________	______________	______________
______________	______________	______________
______________	______________	______________
______________	______________	______________

Und jetzt phantasieren wir! Was würden Sie gern in den Ferien machen? (Alles erlaubt: vom Nashornritt bis zur Mondfahrt!) Einer nach dem anderen nennt jede Person in der Gruppe irgendeine Beschäftigung, die mit dem Buchstaben A–Z anfängt. (Präpositionen gelten als Wörter.) Machen Sie eine Liste der Ausdrücke, die Sie gesammelt haben.

M. Selbst inszenieren! *(in Paaren)* Sie oder Ihr Partner schlagen eine Szene vor (siehe Vorschläge unten). Besprechen Sie zuerst die Szene und eine passende kurze Handlung. Planen Sie zusammen die Situation, die beiden Sprecherrollen, und entscheiden Sie, wer welche Rolle spielt. Dann improvisieren Sie die Gespräche mit Ihrem Partner. Beim Planen und bei der Improvisation benutzen Sie die Redemittel, die Sie am Anfang dieses Kapitels schon geübt haben (Übungen I, J).

Im Reisebüro:

*Wohin möchten Sie dieses Jahr reisen?

*Wissen Sie, einerseits . . .
andererseits . . .
und zwar . . .

Beim Vorstellungsgespräch:

*Haben Sie als Studentin am Abend etwas Freizeit?

*Klar! Zuerst mache ich . . .
dann . . .
danach . . .

Über das Familienleben:

*Gibt es etwas, was deine Familie zusammen unternimmt?

*Ja, und zwar . . .
erstens . . .
zweitens . . .

Über Freizeitaktivitäten:

*Wo würdest du am liebsten einen freien Tag verbringen: auf dem Land oder in der Stadt?

*Ach, weißt du . . .
und zwar . . .
zuerst mal . . .
dann . . .

N. Auf geht's! *(in Gruppen zu viert)* Sie und ein paar Freunde wollen zusammen etwas unternehmen. Sie haben aber nicht viel Zeit, um alles zu organisieren, und müssen schnell die wichtigsten Details zusammen regeln. Wenn Sie als Gruppe fertig sind, soll jeder versuchen, in der Klasse noch ein paar Leute aufzutreiben, die vielleicht mitgehen wollen.

1. einen deutschen Film auf Video ausleihen und zu Hause vorspielen
2. den Lehrer/die Lehrerin zum Essen einladen
3. Klassenphoto machen
4. Fuβball/Tennis/Schach spielen
5. den Sonnenaufgang am Meer erleben
6. ein Picknick machen

REDEN MITREDEN DAZWISCHENREDEN

O. Wohngemeinschaft. *(in Gruppen zu sechst)*

memo

jeden Morgen/Abend/Tag	every morning/evening/day
einmal die Woche/im Monat	once a week/month
Wir können uns mal abwechseln, wenn du willst.	We can switch once in a while, if you want.
Du bist dran.	It's your turn.
Ich gebe auf.	I give up.
Geschirr spülen	do the dishes
Fenster putzen	wash the windows
Boden kehren	sweep the floor
Teppich staubsaugen	vacuum the carpet
Pflanzen gieβen	water the plants
Rasen mähen	mow the lawn
Mülleimer leeren	empty the garbage can

In einer Wohngemeinschaft muβ man gewöhnlich vieles planen und organisieren, z.B. wer die ganze Arbeit im Haus machen wird und wann. Sie und fünf andere Personen wollen nun eine neue Wohngemeinschaft bilden. Am ersten Abend treffen Sie sich und besprechen die Arbeitsteilung.

Die Mitbewohner sind:

1. ein Reporter bei einem billigen Straβenblatt
2. ein Verkäufer in einem groβen Möbelgeschäft
3. eine Studentin der Elektrotechnik
4. eine Innenarchitektin
5. eine Studentin der Zahnmedizin
6. ein Taxifahrer, ausgebildet als Jurist

TEIL A: Vorbereitung

Jeder soll für sich erst eine Liste von fünf Tätigkeiten aufstellen, die er/sie gern für das Haus und die Gruppe übernehmen möchte, und die auch wichtig für das Gruppenleben sind.

Was ich machen kann und will:

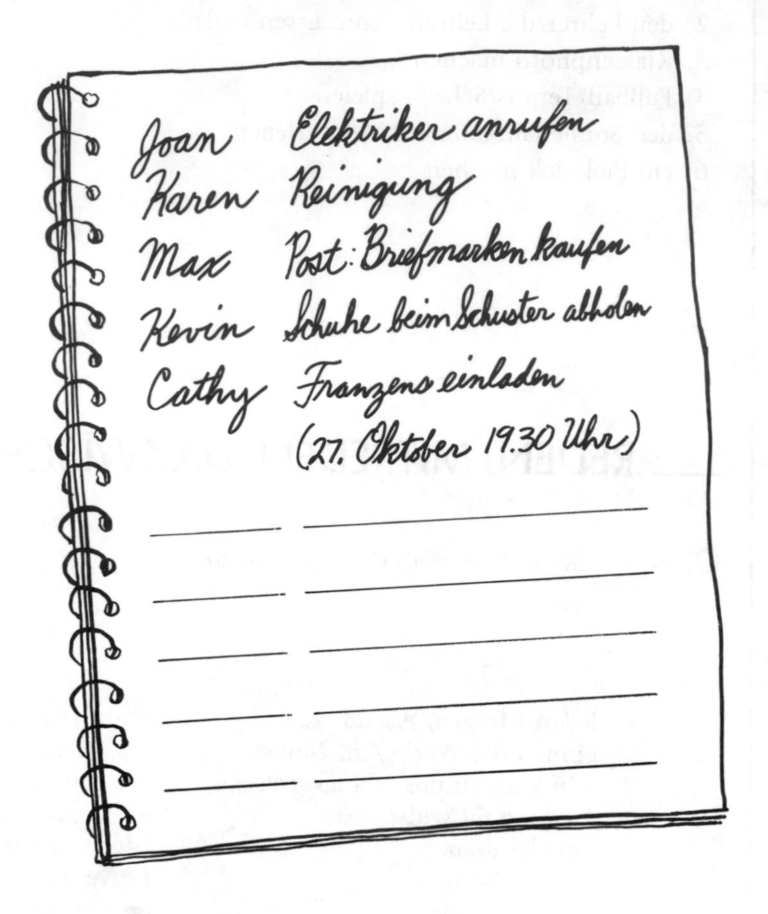

Joan Elektriker anrufen
Karen Reinigung
Max Post: Briefmarken kaufen
Kevin Schuhe beim Schuster abholen
Cathy Franzens einladen
(27. Oktober 19.30 Uhr)

TEIL B: Gruppenarbeit

Besprechen Sie Ihre Listen mit der Gruppe. Wer soll was machen? Versuchen Sie, die Arbeit gleichmäßig aufzuteilen, damit niemand zuviel machen muß. Streichen Sie unnötige Tätigkeiten von dem Plan. Schreiben Sie den Arbeitsplan auf.

Arbeitsplan der Wohngemeinschaft: ____________________

Tätigkeit	Dauer/Häufigkeit	Name

Interview der Woche

● Nicht nur auf den Pisten der Wintersportorte herrschte gestern Hochbetrieb, auch in der Münchner Innenstadt war das Gedränge groß.

Die AZ fragte einige daheimgebliebene Münchner:

Was haben Sie am Wochenende vor?

Helmut Kerkenbusch (42), Textiltechniker: *„Ich habe heute in meinem Betrieb freigegeben, denn die rechte Arbeitsstimmung wäre eh' nicht aufgekommen. Nach dem dauernden Festtagsrummel will ich an diesem verlängerten Wochenende endlich mal richtig faulenzen."*

Sofie Poxrucker (40), Serviererin: *„Ich habe heute zum Glück frei und kann einen schönen Einkaufsbummel machen. Das Wochenende habe ich schon verplant, leider nur mit unangenehmen Dingen: Der schon lange fällige General-Hausputz nach Weihnachten und Silvester wird erledigt!"*

Alois Amberger (38), Brauer: *„Ich habe mir heute Urlaub genommen, um meinem Sohn neue Skistiefel zu kaufen. Morgen fahren wir dann zum Spitzingsee, wo ich ihm das Skifahren mit seiner ersten Ausrüstung beibringen will. Hoffentlich endet das nicht mit einem Beinbruch."*

Jutta Baum (28), Studentin: *„An diesem langen Wochenende habe ich schon Unmengen von Verabredungen mit Freunden getroffen. Jetzt hat man doch Zeit für gemütliches Ratschen, nach dem Streß der letzten Wochen. Außerdem will ich mir auch den 5-Stunden-Film ‚1900' anschauen."*

Heinrich Gollner (40), Steuerbevollmächtigter: *„Für mich ist im Januar leider am meisten zu tun. Wenn ich nicht in der Kanzlei sitze, dann muß ich daheim die neuen Steuergesetze studieren. Zeit für einen kurzen Skiurlaub habe ich erst im März."* tag./Fotos: Haase

aus: *Allgemeine Zeitung*

TEIL C: Klassenbericht

Wenn der Plan fertig ist, wählen Sie einen Stellvertreter, der vor der Klasse über die Organisation Ihrer Wohngemeinschaft berichtet.

P. Stadtführung. *(in Gruppen zu fünft)*

memome

zunächst/zuerst	first
danach/dann	then
Gut, also jetzt OK . . .	OK, now . . .
Richtig. Nun . . .	Right. Now . . .
Ich habe fast vergessen zu sagen . . .	I almost forgot to say . . .
Ach so, da ist noch was . . .	Oh, one more thing . . .
Paß auf:	Now listen:
rechts/links abbiegen	turn right/left
geradeaus	straight ahead
erste Straße links/rechts nehmen	take your first left/right
Geh an (der Post) vorbei.	Go past (the post office).
Geh die Straße entlang bis zu . . .	Go along the street till . . .

Planen Sie für eine deutsche Studentengruppe eine Führung durch Ihre Lieblingsstadt (Ihre Heimatstadt, die Universitätsstadt, einen Nachbarort)! Entscheiden Sie, wie man am besten die Stadtführung macht: zu Fuß / per Auto / Bus / Straßenbahn usw.

TEIL A: Planung *(in Gruppen)*

Machen Sie eine Liste von zehn Sehenswürdigkeiten. Lassen Sie Ihrer Phantasie freien Lauf und vergessen Sie nicht, daß Ihre ausländischen Gäste das „typische Alltagsleben" in Amerika kennenlernen wollen.

Sehenswürdigkeiten:

1. ______________	6. ______________
2. ______________	7. ______________
3. ______________	8. ______________
4. ______________	9. ______________
5. ______________	10. ______________

Zeichnen Sie auf einem Stadtplan eine Route ein, die die deutsche Gruppe in etwa vier Stunden (nicht mehr!) zurücklegen kann.

TEIL B: Unsere Reiseroute *(in Paaren aus den verschiedenen Gruppen)*

Ihr ausländischer Gast (d.h. Partner aus einer anderen Gruppe) soll nun versuchen, Ihrer Reiseroute auf einem Stadtplan zu folgen. Sie sollen den Partner *nur mündlich* entlang der Route führen. Der Gast zeichnet sich auf dem Plan ein, was er/sie hört und wiederholt die Anweisungen („Ich gehe also geradeaus . . . "). Wenn etwas unklar ist, soll man zurückfragen („Wie war das noch mal?").

Zum Schluß schauen Sie beide zusammen Ihre Stadtpläne an, um zu sehen, ob der Partner alles richtig verstehen konnte.

DAS RECHTE WORT ZUR RECHTEN ZEIT

Wissen Sie, was man in den folgenden Situationen sagen könnte?

Q. Am Telefon.

1. Ein Freund/eine Freundin und Sie haben sich für Montag verabredet. Was sagen Sie ihm/ihr zum Schluß?

   „______________________________"

2. Sie laden einen Bekannten ein, zu einer Party mitzukommen. Wie fordern Sie ihn auf?

   „______________________________"

3. „Hier Kunze, darf ich bitte mit Frau Schmidt sprechen?"

   Schmidt: „______________________________"

4. Frau Schmidt ist nicht da. Was können Sie sagen?

   „______________________________"

5. Ihr Arbeitgeber: „Also, wir sehen uns am Montag."

   Sie: „______________________________"

R. In der Klasse.

1. Sie wollen sich mit einem Kommilitonen heute nachmittag treffen, um ein Gruppenreferat zu besprechen. Wie fragen Sie ihn, ob er heute Zeit hat?

   ,, ____ "

2. In der Arbeitsgruppe soll man eine Reihe von Fragen besprechen. Als Gesprächsführer sollen Sie bestimmen, welche Frage zuerst behandelt wird. Wie erzählen Sie den anderen, was die Reihenfolge sein wird?

   ,, ____ "

Vokabeln die ich aus diesem Kapitel festhalten möchte:

KAPITEL 4

GEFÜHLE AUSDRÜCKEN UND DARAUF REAGIEREN

4

„Das ist nett von dir."

DAS KONVERSATIONSSPIEL

KEEPING THE BALL ROLLING

AGREEING

If someone else has already said what you were going to say, don't be silent. Give your support by restating what was said. The speaker will feel acknowledged and may do the same for you later. You can express your agreement with:

memo

Ja, das finde ich auch.	Yes, that's what I think, too.
Das glaube ich.	I believe it!
Du hast recht.	You're right!
Ja, wie du gesagt hast, . . .	Yes, as you say (said), . . .
Ich bin derselben Meinung wie du.	I have the same opinion as you.
Ich bin ganz deiner Meinung.	I agree completely.

PARAPHRASING

Have you ever had a conversation grind to a halt because you couldn't think of the right word? If you want to keep the attention of your listeners, try asking for help (*Wie sagt man ,,to argue"?*), or let them make suggestions. Paraphrase the unknown word (*Wir haben miteinander gesprochen, aber wir haben nicht die gleiche Meinung.*) or try an explanation or an English word.

A. Versuch's mal anders. *(alle zusammen)* How many ways can you paraphrase a word or concept you don't know?

EXAMPLE: Ich bin (*exhausted*)—ich meine, ich möchte jetzt am liebsten schlafen. — Ich bin ja sehr, sehr müde.

Try to find at least one paraphrase for the word in parentheses:

- Außer Deutsch habe ich noch vier andere (*subjects*) . . .
- Ich finde, dieser Mensch ist (*conceited*) . . .
- Sein Chef hat ihm (*a raise*) versprochen . . .
- Alexander sieht heute sehr (*excited*) aus . . .
- In Deutschland ist es nicht (*customary*), abends warm zu essen . . .

B. Wie bitte? *(in Paaren)*

Person A:
Der Computer hat für Sie einen deutschen Gesprächspartner gefunden. Sie rufen Ihren Partner an. Da die Verbindung sehr schlecht ist, müssen Sie immer um Wiederholung seiner Antworten bitten, und für alles, was Sie sagen, eine Paraphrase oder Erklärung geben.

Person B:
Sie sind Deutscher. Sie bekommen einen Anruf von einem Amerikaner. Sie verstehen gar nicht, worum es geht. Da die Verbindung sehr schlecht ist, müssen Sie immer wieder um Wiederholung bitten und für alles, was Sie sagen, eine Paraphrase oder eine Erklärung geben.

memo

Wie alt sind Sie?	How old are you?
Was sind Sie von Beruf?	What do you do?
Wo sind Sie beschäftigt?	Where do you work?
Was machen Sie in Ihrer Freizeit?	What do you do in your free time?
Wie bitte?	What (was that)?
Wie war das?	What did you say?
Was meinen Sie?	What do you mean?/What did you say?
Ich verstehe Sie kaum!	I can barely understand you.

EXPANDING A POINT BY ASSOCIATION

Are you running out of things to say after one sentence? Keep yourself in the game by bringing up different aspects of the topic. Add specific details and give examples. Practice with the activity below. Use the following topics to expand a conversation on *Mode*.

Damenmode/Herrenmode — Die Mode ist schön. — Alle tragen dasselbe. — Mode als Kunst — Kunst als Mode — Wer profitiert von der Mode? — Mode als Mittel zur Diskriminierung — Mannequins — Werbung usw.

C. Assoziationsfelder. *(in Gruppen zu dritt)* Here are possible topics for a conversation:

- Haustiere
- Fremdsprachen
- Märchen
- Schule
- Ferien
- das Wetter
- Essen in Deutschland
- Kleidung
- Fernsehen
- Kinder
- Spiele
- (your topic)

Two groups choose the same topic. Each group writes down, in German, as many aspects of this topic as it can think of. Compare your lists. Time limit: 5 minutes.

HÖREN UND VERSTEHEN

Wie macht man das auf englisch?

D. A newly arrived German colleague asks you to help her with expressions which will let others know how she feels about things that have occurred and what is being said. What suggestions can you make for her, including specific differences of register: (vulgar, familiar, polite)?

1. Someone she knows just lost an important competition. She wants to express sympathy: ______________________________

   ____

   ____

   She wants to express disappointment: ______________________________

   ____

   ____

2. She is going to see a friend today whose house she will be sharing for a while. She wants to express happiness: ______________________________

   ____

   ____

3. She just discovered her bicycle got a flat on the way to your house. She wants to express anger: ______________________________

   ____

   ____

   She wants to express surprise: ______________________________

   ____

   ____

GESPRÄCHE 1–3

E. Hören Sie den Gesprächen auf dem Tonband mehrmals zu. Dann machen Sie die Übungen im Buch (Teil A und Teil B) und auf dem Tonband (Teil C, Übung 1).

TEIL A: Was haben sie gesagt?

Beschreiben Sie die Situation, in der sich diese Personen befinden. Kreuzen Sie *alle* richtigen Antworten an.

GESPRÄCH 1:

Thomas, ein Mitbewohner, hat
- ☐ die Miete
- ☐ die Telefonrechnung nicht bezahlt.

Renate und Helga
- ☐ wollen sie also noch nicht bezahlen.
- ☐ haben ihren Teil schon bezahlt.

Thomas ist jetzt
- ☐ ausgezogen.
- ☐ verreist.
- ☐ verschwunden.

Die beiden Frauen ärgern sich darüber,
- ☐ daβ Thomas so unverantwortlich ist.
- ☐ daβ seinetwegen die Zahlung verspätet sein wird.
- ☐ daβ sie ihm alles x-Mal sagen müssen.

GESPRÄCH 2:

Martin sucht seit langem eine Wohnung
- ☐ in der Nähe der Uni.
- ☐ auβerhalb der Stadt.
- ☐ im Studentenwohnheim.

Heute hat er eine
- ☐ in der Zeitung
- ☐ durch seine Schwester
- ☐ mit einem Freund zusammen gefunden.

Renate
- ☐ freut sich für ihn.
- ☐ ist neidisch, weil sie auch ein Zimmer sucht.
- ☐ ist überrascht, daβ er so schnell etwas finden konnte.

GESPRÄCH 3:

Martin und Helga
- ☐ studieren an der gleichen Uni.
- ☐ wohnen im selben Wohnhaus.
- ☐ arbeiten bei der gleichen Firma.

Helga hat
- ☐ erst heute
- ☐ vor drei Wochen
- ☐ vor drei Jahren angefangen.

Die beiden sind
- ☐ froh,
- ☐ angenehm überrascht,
- ☐ enttäuscht, einander zu sehen.

Transkribieren Sie eine Minute von einem Gespräch. Zeichnen Sie ein, wo die Stimmen besonders hoch steigen oder besonders niedrig fallen.

z.B.: Mensch, das ist Klasse!

____

____

____

____

TEIL B: Was haben sie getan?

Entscheiden Sie, ob die Sprecher a) glücklich b) verärgert oder c) überrascht sind. Wie zeigt der Sprecher seine Emotionen? Welche Worte benutzt der Sprecher, um dieses Gefühl zu vermitteln?

	Der Sprecher fühlt sich:	Worte:
Gespräch 1:	______	______
		______
Gespräch 2:	______	______
		______
Gespräch 3:	______	______
		______

TEIL C: Was kann man noch sagen?

Achten Sie auf das Register: neutral/höflich (+), familiär (o), grob/vulgär (–).

1. Welche Redemittel zeigen, daβ man böse oder verärgert ist? *(Übung auf Tonband)*

So ein Mist! –	What a mess!
Der ist vielleicht einer! o	What a twerp!
Das ist so ein Dussel. –	What a looser!
Ich habe es ihm extra noch gesagt. o	I specifically told him so.
Mensch! o	Hey!
Also so was! +	What *is this*!
Was denkt er/sie sich? o	Who does he/she think he/she is?

2. Welche Redemittel zeigen, daβ man sich freut und glücklich ist? *(Übung mit der Klasse)*

Prima, Mensch! o	How great!
Klasse! o	Excellent!
Sagenhaft! o	Wonderful!
Das ist ja unglaublich. +	That's incredible.
Wie schön (für dich)! +	How great (for you)!
Spitze! o	Great!

3. Welche Redemittel zeigen, daβ man überrascht ist? *(Übung mit der Klasse)*

Das darf doch nicht wahr sein! o	Oh, it can't be true!
Na sowas. +	Imagine that.
Unglaublich! +	Unbelievable! Incredible!
Das ist nicht zu fassen! +	That's incomprehensible!/impossible!
Ach du meine Güte! o	My goodness gracious!
Da bin ich baff. o	I'm speechless!

GESPRÄCH 4

F. Hören Sie dem folgenden Gespräch zu und notieren Sie, wie die zweite Sprecherin ihr Mitleid für ihre Nachbarin ausspricht.

TEIL A: Was haben sie gesagt?

Hören Sie sich den ganzen Text mehrmals an, und ergänzen Sie den Ausschnitt unten.

Kimmerle: *Oh guten Tag Frau Kunold.*

Kunold: *Oh Frau Kimmerle, Sie* ______________________________ .

Ki.: *Ja. Wissen Sie,* ________________________ *in die Alpen fahren. Die ganzen Ferien sind versaut.*

Ku.: *Oh* ________________________ . ________________________ . *Was ist denn passiert?*

Ki.: *Ach,* ________________________ *, unser Kleiner, der liegt mit 'nem Fieber im Bett.*

Ku.: *Ach,* ________________________________ . *Was hat er denn?*

Ki.: *Oh, er hat sich 'ne Grippe geholt.*

Ku.: *Ach, der Arme. Der hat* ________________________________ *, nicht wahr? (. . .)*

TEIL B: Was haben sie getan?

Wie spricht Frau Kunold ihr Mitleid für ihre Nachbarin aus? Schreiben Sie drei Redemittel auf.

z.B. Das tut mir leid.

____

____

____

TEIL C: Was kann man noch sagen?

Mit welchen Redemitteln kann man Mitleid zeigen? *(Übung auf Tonband)*

Sie Ärmste!	Poor you!
Ach das tut mir leid!	Oh I am so sorry!
Auf jeden Fall wünsche ich Ihnen alles Gute.	In any case, I wish you good luck.
Ach, das ist aber schlimm!	How awful!
Schade!	Too bad!

G. Was für eine Miene ist das? *(alle zusammen)* Was sagen diese Leute? Lesen Sie diese Ausrufe mit der richtigen Intonation. Achten Sie auf das Register: neutral/höflich (+), familiär (o), grob/vulgär (–).

Mitleid zeigen

Das tut mir leid! +
Sie sehen so betrübt aus! +
Du Ärmste(r)! o
Das gibt's doch nicht! o

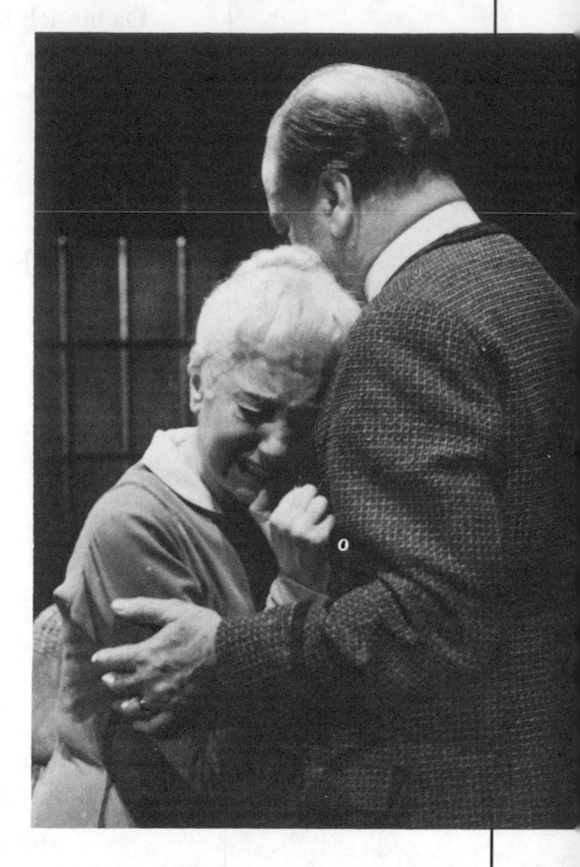

sich ärgern

Das geht zu weit! +
Ich bin so sauer! o
Verflixt noch mal! o
So ein Mist! –
Scheiße! –
Verdammt! –

Mißfallen zeigen
Um Himmelswillen! +
Scheußlich! +
Schrecklich! +
Wie doof! o
Pfui! o

Enttäuschung ausdrücken
Schade! +
Wer hätte das gedacht? +
Ach! +
Oh jeh! o
Mensch! o

Überraschung zeigen
Unglaublich! +
Ach du lieber Gott! +
Wirklich? +
Ach so. +
Mann oh Mann! o
Na sowas! o
Donnerwetter! o
Waaas? o
Hätte ich nie gedacht! o
Stimmt das? o

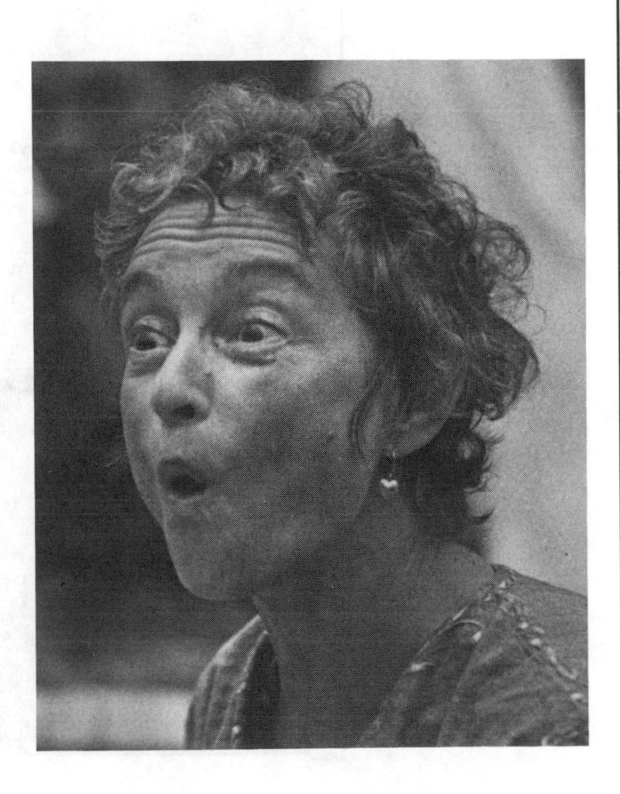

gleichgültig sein

Da ist wohl nichts zu machen. +
Das macht nichts. +
Das ist mir egal. o
Das ist mir wurst. o
Na ja. o
Na und? o
Reg dich nicht so auf. o
Das ist mir scheißegal. –

Freude zeigen

Sagenhaft! +
Das freut mich! +
Prima! o
Fantastisch! o
Toll! o
Klasse! o
Mensch! o
Menschenskind! o

Schreiben Sie einen Gefühlsausruf unter jedes Bild auf S.70–72. Vergleichen Sie Ihren Text mit dem von zwei anderen Studenten. Erfinden Sie gemeinsam einen Grund, warum die Person auf dem Bild in dieser Laune ist.

H. Mit Gefühl sprechen. *(zu Hause vorbereiten: alle zusammen)*

Man kann diese Wörter mit unterschiedlichem Tonfall sagen, und schon nehmen sie eine andere Bedeutung an. Wählen Sie ein Wort und sprechen Sie es mit den folgenden Gefühlen aus. Nehmen Sie sich auf Tonband auf.

- Überraschung
- Mitleid
- Angst
- Langeweile
- Sorge
- Ärger
- Enttäuschung
- Beunruhigung
- Erstaunen
- Verzweiflung
- Schmerz

Nun nehmen Sie irgendeinen deutschen Text (ein Telefonbuch, ein Wörterbuch, ein Inhaltsverzeichnis, einen Veranstaltungskalender), den Sie normalerweise nie vorlesen oder vorspielen würden. Lesen Sie diesen Text laut mit einem dieser Gefühle vor. Zeichnen Sie am besten im Text ein, wo Ihre Stimme besonders hoch steigen oder niedrig fallen muß. Üben Sie möglichst mit einem Tonband. Lesen Sie diese Texte der Klasse vor. Die anderen sollen raten, mit welchem Gefühl Sie sprechen.

empfindungswörter

aha die deutschen
ei die deutschen
hurra die deutschen
pfui die deutschen
ach die deutschen
nanu die deutschen
oho die deutschen
hm die deutschen
nein die deutschen
ja ja die deutschen

Rudolf Otto Wiemer

I. Was soll ich dir sagen? *(zu Hause vorbereiten: in Paaren)*

Schreiben Sie die Reaktion eines deutschsprachigen Freundes, wenn Sie ihm sagen:

z.B.: Mir tut der Kopf so weh, hoffentlich kriege ich nicht wieder eine Grippe.
Ach, du Ärmster! Das darf doch nicht wahr sein. Ausgerechnet diese Woche!

1. Stell dir vor, gestern abend habe ich eine wirklich nette Person kennengelernt!

   ____

2. Mein Bruder liegt leider zur Zeit im Krankenhaus.

   ____

3. Hier bin ich, endlich — diesmal nur eine Stunde Verspätung!

   ____

4. Die Fete müssen wir leider verschieben, weil so viele Leute schon abgesagt haben.

____

5. Weißt du was, meine Eltern haben gerade geschrieben, daß sie mir genug Geld für einen Ferienaufenthalt in München vorstrecken können.

____

6. Entschuldigung, haben wir uns nicht voriges Jahr auf dem Faschingsball kennengelernt?

____

7. Jetzt habe ich keine Zeit mehr für deine Frage, aber ich denke, du willst sowieso jetzt nach Hause gehen, oder?

____

8. Die Plätze sind leider schon ausverkauft!

____

REDEN MITREDEN

J. Wortschatzerweiterung. *(Vorbereitung auf K, L)* Wann sind Sie guter Laune, wann schlechter Laune? Geben Sie mindestens zwei Situationen für jede Laune an (z.B.: Nach einem Streit mit meinem Freund habe ich schlechte Laune).

1. Ich bin ganz schön deprimiert.

_______________ _______________

2. Ich bin unheimlich böse.

_______________ _______________

3. Ich bin wahnsinnig glücklich!

_______________ _______________

4. Ich bin vollkommen überrascht!

_______________ _______________

K. Was soll ich sagen? *(in Paaren)*

memo

Das freut mich wirklich.	I'm happy to hear that.
Ich freue mich riesig für dich.	I'm delighted for you.
Fantastisch!	Fabulous!
Mensch! Klasse!	Wow!
Spitze!	Great!
Das tut mir leid!	I'm so sorry.
Du Ärmste(r)!	Poor you!
Wie schrecklich!	How awful.
Mein Gott, wie ist denn das passiert?	My God, how did that ever happen?
So ein Pech!	What bad luck!

Was sagen Sie einem Freund, dem gerade etwas sehr Schönes oder sehr Schlechtes passiert ist? Arbeiten Sie zu zweit und machen Sie eine Liste von jeweils fünf freudigen und fünf traurigen Situationen.

ICH FREUE MICH DARÜBER.

1. ______________________________
2. ______________________________
3. ______________________________
4. ______________________________
5. ______________________________

ICH BIN TRAURIG DARÜBER.

1. ______________________________
2. ______________________________
3. ______________________________
4. ______________________________
5. ______________________________

Sprechen Sie nun mit jemand in der Klasse. Beschreiben Sie ihm/ihr eine der Situationen auf Ihrer Liste. Er/sie soll als Hörer mit passenden Ausrufen auf Ihre Situation reagieren.

L. Viel Glück! *(in Paaren)*

memo

Viel Glück!	Good luck.
Mach's gut!	Take care.
Mach's besser! (as response to *Mach's gut!*)	You, too. (as response to *Take care!*)
Alles Gute!	All the best.
Hals– und Beinbruch!	Break a leg! (Good luck!)
Schönen Abend/Tag noch!	Have a nice evening/day.
Schöne Ferien/Schönes Wochenende!	Have a nice vacation/weekend.
Gute Reise!	Have a nice trip.
Frohe Weihnachten!	Merry Christmas.
Frohes Fest!	Happy Holidays.
Herzlichen Glückwunsch! (. . . zum Geburtstag)!	Congratulations. (Happy Birthday!)
Ja, dann wünsche ich dir . . .	Well, I wish you . . .
Danke schön!	Thank you.
Vielen Dank!	Many thanks.
Danke, gleichfalls!	Thanks, to you, too.
Ebenfalls!	Same to you.
Dir auch! (as response to *Ich wünsche . . .*)	You, too.

Worauf freuen Sie sich? Gibt es in der nächsten Zeit besonders wichtige Tage für Sie? Schreiben Sie auf, worauf Sie sich freuen!

heute abend: ______________________________

morgen: ______________________________

nächste Woche: ______________________________

nächsten Monat: ______________________________

in sechs Wochen: ______________________________

Besprechen Sie zu zweit, was Sie in der nächsten Zeit vorhaben. Reagieren Sie immer auf das, was Ihr Partner sagt. Dann suchen Sie sich einen neuen Partner.

z.B: **A:** Wann hast du Geburtstag?
B: Morgen!
A: Wirklich? Ich auch. Herzlichen Glückwunsch.
B: Dir auch!

A: Welche Rolle spielst du in dem Stück?
B: Ich spiele . . .
A: Na, Hals– und Beinbruch!

REDEN MITREDEN DAZWISCHENREDEN

M. Wortschatzerweiterung. *(Vorbereitung auf N, O)* Hier ist eine Liste von Adjektiven, die menschliche Eigenschaften und Stimmungen beschreiben. In welche Kategorie paßt jedes Adjektiv am besten? Suchen Sie noch zwei weitere Synonyme für jede Gruppe. Dazu können Sie ein deutsch-deutsches oder ein englisch-deutsches Wörterbuch benutzen.

unintelligent brillant höflich herrlich reizend witzig begabt
böse salopp reizvoll gutaussehend amüsant elend weise
gütig sympathisch scharfsinnig sauer munter fesselnd zornig
traumhaft dämlich köstlich trostlos gescheit wütend albern
blöde bekümmert bezaubernd

schön	fröhlich	dumm
______	______	______
______	______	______
______	______	______
______	______	______

nett	interessant	traurig
______	______	______
______	______	______
______	______	______
______	______	______

N. Wen finden Sie sympathisch? *(in Paaren)* Lesen Sie mit Ihrem Gesprächspartner die Heiratsanzeigen unten oder suchen Sie andere in deutschsprachigen Zeitungen. Schreiben Sie eine Liste von Eigenschaften auf.

Heiratswünsche/Bekanntschaften

Workaholic

auf dem Weg der Besserung, heute erfolgreich unternehmerisch tätig. Meine Hobbies sind: Reisen, Fliegen, schön und toll wohnen. Ich bin 1,80 m gross, schlank, gutaussehend und mit allen käuflichen, irdischen Gütern mehr oder weniger gesegnet bzw. verwöhnt.
Ich suche unkäufliches, weibliches Wesen. Es muss ehrlich, treu, herzlich, schlank, attraktiv und sympathisch sein. Wenn Du ausserdem auch im zweiten Lebensviertel (25–40jährig) bist, dann würde es mich freuen, Dich durch ein Brieflein mit Photo kennenzulernen unter Chiffre X824809M, NZZ, Inseratenabteilung, Postfach, 8021 Zürich.
VHX824809M

Hallo, nettes Mädchen! 20–29 J. jung, 165 cm groß. Gestern eilten wir auf der Straße aneinander vorbei – ein kurzes Lächeln – Du bist verschwunden. In den Kneipen warst Du nicht zu finden. - Ich, 30/183, interessanter Typ, möchte Dich wiedersehen! Raum HD + 200 km! Komm – gib Deinem Herzen einen Stoß und schreib! Ch. B 2457

Amerikaner, in Afrika geboren, 36/172/72, Kunstmaler, Techniker, spricht Englisch und etwas Deutsch, möchte auf diesem Wege Brieffreundschaft mit weiblicher, hübscher SIE, 23/160/72 (Hochschulbildung), anknüpfen. B. Ir's, POB 309, Argo, III. 60501, USA

Für die Zukunft wünsche ich mir attraktive, treue u. hübsche Partnerin bis 27 J. Ich bin Ägypter, 37 J., mit Herz, zuverlässig, treu u. ehrlich. Bildzuschriften garantiert zurück.
ZN 6363 DIE ZEIT, Postfach 10 68 20, 2000 Hamburg 1

Zwei Frauen (Lehrerin, 33, Erzieherin, 30) suchen zwei Grün-orientierte, einfühlsame Männer zum ins Kino gehen, Quatschen, gemeinsam kochen und für ähnliche Unternehmungen. Zuschriften unter ✉ ZF3205758

Arzt, 30 J., rk., möchte gerne symp., musikliebende Sie für harmonische Verbindung kennenlernen. Bitte schreiben Sie mit Bild an ZH 6274 DIE ZEIT, Postfach 10 68 20, 2000 Hamburg 1

Junge Dame, 37 J., sucht amerikanischen Freundeskreis. Zuschrift unter W 506

Suche zunächst Brieffreundschaft zu charmanter, gutaussehender **Christin bis Ende 30,** auch mit Kind. Schätze Grossherzigkeit, festen offenen Charakter, Feingefühl, gutes Aussehen, musische Talente, stete Lernbereitschaft und sportlichen Chic. **Bin 46,** 182, sportlich schlank, **selbst. Marketingberater,** geschieden. Andere über mich: 'ne Menge Macken, aber sonst ganz nett.
Zuschriften, bitte mit Bild, erbeten unter Chiffre X841484M, NZZ, Inseratenabteilung, Postfach, 8021 Zürich.
VHX841484M

AUSTRALISCHE MÄNNER und Deutsche in Australien suchen deutsche Frauen und Mädchen zwecks Briefwechsel, Freundschaft o. Heirat. Senden Sie zur Kontaktaufnahme Foto, persönliche Angaben per Luftpost an Ihre DEUTSCHE HEIRATSVERMITTLUNG in Melbourne: P.O. Box 331, Elsternwick, 3185, AUSTRALIA

Wollen Sie mit mir in die Luft gehen?
Akad., ltd. Pos., 1,89/78/36, Privatpilot, durchaus verträglich und absolut vorzeigbar, sucht attraktives Pendant mit feeling für gemeinsame (Höhen)Flüge und am Boden, bevorzugt im Rhein-Main-Raum.
Bildzuschrifen an ZT 6368 DIE ZEIT, Postfach 10 68 20, 2000 Hamburg 1

Die Männer wünschen sich bei einer Frau:

______ ______ ______

______ ______ ______

Die Frauen wünschen sich bei einem Mann:

______ ______ ______

______ ______ ______

Notieren Sie, wie die Männer und Frauen sich selber beschreiben und anpreisen.

Frauen über sich: ______

______

Männer über sich: ______

______

Passen die Männer zu den Frauen? Würden diese Frauen die Männer in den Anzeigen sympathisch finden? Teilen Sie der Klasse Ihre Ergebnisse mit.

O. Der ideale Ehepartner. *(in Gruppen zu fünft)* Was sind für Sie die wichtigsten Eigenschaften eines Ehepartners? In kleinen Gruppen von nur Männern oder nur Frauen stellen Sie eine Liste mit den Eigenschaften eines Ihrer Meinung nach perfekten Partners zusammen.

Ich mag ______________________________ Männer/Frauen.

Ich finde ____________________ Männer/Frauen sehr attraktiv/ganz angenehm.

Mir sind ____________________ Männer/Frauen sympathisch/unsympathisch.

______________________________ Männer/Frauen gefallen mir besonders gut.

______________________________ Männer/Frauen kann ich nicht leiden.

Die Gruppen sollen ihre Listen vergleichen. Was halten Sie von den beiden Listen? Fehlen irgendwelche Eigenschaften?

P. Schon wieder? *(in Gruppen zu viert)*

memomem

ICH ÄRGERE MICH AUCH DARÜBER:

Das gibt's doch nicht.	That's impossible.
Das ist Unsinn.	That's crazy.
Ich bin so sauer.	I'm furious.
Da könnte ich mich aber aufregen.	I'm going to blow up.
Das macht mich verrückt.	That ticks me off.

DAS IST WIRKLICH EURE SCHULD:

Na ja, was wollt ihr denn?	Well, what do you expect?
Schon wieder?	Not again?
Das habe ich doch gewußt.	I knew it!
Das geschieht euch recht!	It serves you right.
Ihr seid selber schuld.	It's your own fault.
Das hättet ihr nicht tun sollen.	You shouldn't have done it.
Wie konntet ihr das bloß tun?	How could you do it?

Manchmal ärgern wir uns oder sind traurig, wenn gute Freunde ohne eigene Schuld in einer schwierigen Lage sind, z.B. wenn ihnen das Auto gestohlen wird, oder sie nach fünfzehn Jahren von einer Arbeitsstelle entlassen werden. Doch steckt der Freund andererseits manchmal in einer unangenehmen Lage, die er eigentlich hätte vermeiden können. Dann hat man weniger Mitgefühl und möchte ihm nur Vorwürfe machen.

In Ihrer Gruppe hört eine Person zu und reagiert auf die Geschichte, die die drei anderen gemeinsam erzählen. Vertauschen Sie dann die Rollen.

Die Gruppe: ,,Uns ist was Schreckliches passiert!"

1. Unglück: Wir dürfen nicht mehr im Studentenheim wohnen.
2. Unglück: Der Lehrer hat uns schrecklich schlechte Noten für das Gruppenreferat gegeben.
3. Unglück: Die Polizei hat uns bei der Demonstration verhaftet.
4. Unglück: Wir können diesen Monat die Miete nicht bezahlen.

DAS RECHTE WORT ZUR RECHTEN ZEIT

Q. Auf einer Fete.

1. Als Gastgeber machen Sie die Tür auf und sehen zwei alte Freunde, die den langen Weg mit dem Wagen zu Ihnen doch noch gefahren sind. Sie (zeigen Freude): ,, ______________________________"
2. Sie begegnen einem Freund. Er sieht schlecht aus. Was sagen Sie ihm? Sie: ,, ______________________________"
3. Sie begegnen einem Freund, den Sie lange nicht mehr gesehen haben. Er sagt, er war lange krank und ist jetzt erst wieder auf die Beine gekommen. Sie sagen ihm: ,, ______________________________"
4. Die Gastgeberin erzählt Ihnen, daβ ein Bekannter nicht kommt, weil er die Kinder eines anderen Gastes nicht ausstehen kann. Sie sagen verärgert: ,, ______________________________"
5. Nach der Party bedanken Sie sich bei der Gastgeberin. Was sagen Sie? ,, ______________________________"

R. Am Telefon.

1. Sie sprechen mit einem guten Freund, der morgen nach Deutschland fliegt. Was sagen Sie zum Schluβ? ,, ______________________________"
2. Eine Kommilitonin heiratet morgen. Was sagen Sie ihr? ,, ______________________________"
3. Ein Kommilitone hat morgen eine schwere Prüfung. Was sagen Sie ihm? ,, ______________________________"

S. In der Klasse.

1. Heute ist Freitag. Was wünschen Sie dem Lehrer, wenn Sie das Klassenzimmer verlassen? ,, ______________________________"
2. Heute ist der letzte Tag des Semesters. Was sagen Sie den anderen? ,, ______________________________"
3. Morgen beginnen die Weihnachtsferien. Was wünschen Sie dem Lehrer? ,, ______________________________"
4. Der Lehrer wünscht Ihnen ,,Schöne Ferien", ,,Frohe Weihnachten" oder ,,Schönes Wochenende". Sie: ,, ______________________________"

T. Im Gespräch mit einem Freund.

1. Ihr Freund sagt Ihnen: ,,Du, ich habe in der Lotterie 100 Dollar gewonnen!" Sie (zeigen Erstaunen): ,, ______________________________"
2. Ihr Freund: ,,Du, ich habe eine 1 im letzten Deutschaufsatz bekommen!" Sie (zeigen Freude): ,, ______________________________"

3. Ihr Freund: ,,Du, mir ist mein Fahrrad gestohlen worden!" Sie (zeigen Mitleid):

,, ____"

4. Ihr Freund: ,,Du, weißt du was, ich bin im schriftlichen Examen durchgefallen!"

Sie: ,, ____"

5. Sie haben Ihrem Freund erzählt, daß Sie viel Arbeit haben. Zum Schluß sagt er: ,,Arbeite nicht zu viel!"

Sie: ,, ____"

Vokabeln
die ich aus diesem Kapitel
festhalten möchte:

KAPITEL 5

Vor hexen nehmt euch fein in acht,
Seht! was sie mit dem hänsel macht!

GESCHICHTEN ERZÄHLEN, GESCHICHTEN HÖREN

5

„Erzähl' doch mal."

DAS KONVERSATIONSSPIEL

KEEPING THE BALL ROLLING

EXPANDING A POINT BY ANALOGY AND CONTRAST

You can direct the conversation by finding logical links to what others have said. For this you need to find analogies and contrasts with other related areas on which you have something to say. The following exercises will activate your imagination.

A. Brücken schlagen. *(in Gruppen zu dritt)* Each student picks three objects at random from the list below. Write them out on different cards or draw them, preferably with colors. Put the nine cards in a row. Discuss how you can rearrange the order of the cards so that you can demonstrate some link between any two adjacent cards in the row. Links may be: color, size, shape, usage, value, consistency, symbolism. The different objects need not tell a story.

EXAMPLE: Krankenwagen—Kinderwagen: beide haben vier Räder, oder in beiden liegen hilflose Menschen.

Kinderwagen—Kette: die Kette ist die Bindung zwischen Mutter und Vater, die das Kind geschaffen hat.

See how many links you can find in ten minutes. Write them down and present your sequence to the class. Have them guess what your links are.

B. Hilfe! *(in Paaren)* Work with the list of items and the list of problems to solve on the following page. While one of you picks five items at random from the list, the other chooses one of the problems. Together, decide which three items are the best for solving the problem. Refer to the "keeping the ball rolling" strategies in chapters 4 and 6, too.

EXAMPLE: For problem 3 (see below) three out of the five items *Huhn, Besen, Auto, Schnürsenkel,* and *Tor* might yield the following:

Sie nehmen das Reserverad vom Auto, binden es mit dem Schnürsenkel an den Besen und werfen alles dem Jungen zu. Der Besen ist länger als das Rad, und der Junge kann damit leichter das Rad erreichen. Sie haben dann Zeit, Hilfe zu suchen.

List of items:

die Antenne
der Apfel
der Astronaut
das Auto
die Badewanne
der Ball
der Baum
der Besen
das Blatt
der Bleistift
die Blume
der Briefkasten
die Brille
die Brücke
das Buch
die Büroklammer
die Bürste
der Eimer
eine Eins
der Elefant
die Erdbeere
der Fernsehapparat
der Fisch
die Flasche
das Flugzeug
der Fluß
eine Fünf
der Fuß
das Geld
die Gitarre
die Glocke
die Glühbirne
der Hammer
die Hand
das Haus
das Huhn
der Kamm
das Kaninchen
die Katze
die Kerze
die Kette
der Kinderwagen
die Kirche
der Knopf
der Korb
der Krankenwagen
die Lederhose
die Leiter
der Magnet
der Mann
die Milch
das Motorrad
die Mülltonne
die Orange
das Papier
die Perle
der Pfennig
das Pferd
die Pistole
der Polizist
das Rad
die Rakete
der Regenschirm
der Rollschuh
die Rutschbahn
die Säge
die Sandale
die Schaufel
die Schaukel
die Schere
das Schiff
der Schlauch
der Schlüssel
der Schmetterling
die Schnecke
der Schnürsenkel
der Schubkarren
der Schuh
die Seife
das Seil
die Socke
der Spazierstock
die Streichholzschachtel
der Stuhl
die Tasse
das Telefon
der Tisch
die Tomate
der Topf
das Tor
der Traktor
die Trommel
die Tür
der Vogel
der Wasserhahn
der Wecker
der Würfel
die Wurst
die Zeitung
der Zug

Write down your solution, report to the class, and compare it with the solutions the other groups offer to this or other problems.

List of problems:

1. Eine Katze sitzt ganz oben auf einem Baum und kann nicht mehr herunter. Wie kann man sie herunterholen?
2. Wie könnte man die Leute daran hindern, Autos zu stehlen?
3. Ein Junge ist in den Fluß gefallen und wird von der Strömung weggetragen. Wie kann man ihn retten?
4. Ein Auto ist auf einem Hügel geparkt. Die Handbremse ist nicht angezogen, und das Auto fängt an, hinunterzurollen. Wie kann man es aufhalten?
5. Wie läßt sich Ladendiebstahl verhindern?
6. Wie könnte man Autos verkehrssicherer machen?
7. Die Badewanne ist verstopft und der Wasserhahn läßt sich nicht zudrehen. Das Wasser läuft über. Was kann man tun?
8. Wie kann man Blätter im Herbst schneller beseitigen?
9. Wie kann man Fenster leichter und schneller putzen?
10. Wie kann man Zimmerdecken besser und leichter streichen?

Problem (in Stichworten): ____________________

Drei Gegenstände: ____________________

Lösung: ____________________

____

____

____

HÖREN UND VERSTEHEN

Wie macht man das auf englisch?

C. A storyteller has many techniques to keep the audience attentive and to make the story interesting and comprehensible, even the most fantastic of tales. What techniques have you noticed you or a friend or perhaps a professional storyteller uses to make a story work? And how can the listener urge the teller to keep on going?

teller's techniques:	**listener's techniques:**
________________	________________
________________	________________
________________	________________

GESPRÄCHE 1–3

D. Hören Sie sich bitte die drei Geschichten auf dem Tonband an. Sie können es mehrmals abspielen und dann die Übungen im Buch (Teil A und Teil B) und auf dem Tonband (Teil C, Übung 1) machen.

TEIL A: Was haben sie gesagt?

GESPRÄCH 1

Martin erzählt, wie er einmal auf der Autobahn am Steuer seines Autos eingeschlafen ist, und wie er fast einen Unfall gehabt hat. Hören Sie seiner Erzählung zu und bringen Sie die Liste der Ereignisse in die richtige Reihenfolge, in der das eigentlich passiert ist.

____ Er ist auf der Autobahn am Steuer eingeschlafen.
____ Da er auch müde war, wollte er anhalten.
____ Der Beifahrer ist während der Fahrt eingeschlafen.
____ Man war von früh am Morgen bis spät in der Nacht beschäftigt.
____ Die Heimreise zu zweit dauerte sechs Stunden.
_10_ Dem Auto ist nicht viel passiert, ihnen auch nicht.
____ An einem Parkplatz ist er vorbeigefahren.
____ Er war auf einem Ferienkurs in Österreich.
____ Er sah ein Schild für eine Raststätte, wo er vielleicht einen Kaffee bekommen konnte.
____ Das Auto fuhr neben der Autobahn auf einer Wiese und hat ein Schild umgefahren.

GESPRÄCH 2

Helga erzählt, wie sie eines Nachts aufgewacht ist, und das Haus gegenüber in riesigen Stichflammen brannte. Schreiben Sie in einfachen Sätzen (wie in der Übung oben) ihre Geschichte auf.

____
____
____
____

GESPRÄCH 3

Jörg erzählt seiner jungen Nichte vor dem Schlafengehen ein Märchen. Die Zuhörerin reagiert auf den Erzähler und hilft dabei dem Erzähler. Schreiben Sie auf, was die Zuhörerin sagt und wie der Onkel sich auf ihre Reaktion bezieht.

Kind: *Erzähl mir doch mal eine Geschichte!*	[*Es war einmal . . .*]
Kind: ______________________	[*Es war ein Igel.*]
K: ______________________	[______________]
K: ______________________	[______________]
K: ______________________	[______________]
K: ______________________	[______________]
K: ______________________	[______________]
K: ______________________	[______________]
K: ______________________	[*Ja, und dann . . .* (Ende)]

TEIL B: Was haben sie getan?

Für die ersten beiden Erzählungen haben Sie jetzt eine schriftliche Zusammenfassung, die den wesentlichen Inhalt der jeweiligen Geschichten wiedergibt. Es gibt natürlich viele Unterschiede zwischen der schriftlichen und der mündlichen Form jeder Erzählung. Vergleichen Sie beide Fassungen der zwei Erzählungen und sammeln Sie Unterschiede, die Ihnen dabei auffallen, wie z.B.

1. in der Länge: ______________________
2. in der Satzlänge: ______________________
3. bei der Wortwahl: ______________________
4. bei dem Aufbau der Geschichte (Anfang, Ende): ______________________
5. beim Gebrauch von Unterbrechungen, Paraphrasen: ______________________
6. bei der Reihenfolge der Ereignisse: ______________________

TEIL C: Was kann man noch sagen?

Hören Sie jetzt Ausschnitte aus den Gesprächen und notieren Sie, mit welchen Mitteln der Erzähler und der Zuhörer die Geschichte gestalten.

1. Wie **beginnt** der Erzähler seine Geschichte? *(Übung auf Tonband)*

   Ja also, es ist mir neulich etwas Komisches passiert.
   Vor vielen Jahren . . .
   Dazu könnte ich Ihnen eine Geschichte erzählen.
   Habe ich Ihnen schon mal die Geschichte von . . . erzählt?

2. Welche Worte benutzt der Erzähler, um der Geschichte eine Struktur zu geben, die das **Interesse des Zuhörers** sichert? *(Übung mit der Klasse)*

   Um von vorne zu beginnen . . . (zeitlich strukturierend)
   Aber nachts, da . . . (zeitlich strukturierend)
   Nun . . . (zeitlich strukturierend)
   Und plötzlich . . . (zeitlich strukturierend)
   Auf einmal . . . (zeitlich strukturierend)
   Stell dir vor . . . (den Zuhörer einbeziehend)
   Auf jeden Fall . . . (fortsetzend)

3. Wie **hilft der Zuhörer** dem Erzähler im Laufe des Erzählens? *(Übung mit der Klasse)*

   Das kann ich mir schon vorstellen. (Kommentar)
   Oh mein Gott! Meine Güte! (Ausrufe)
   Da habt ihr aber ganz schönes Glück gehabt! (Kommentar)
   Und dann? (direkte Frage)
   Was ist denn da passiert? (direkte Frage)
   Da konntet ihr wahrscheinlich nicht mehr schlafen. (Kommentar)
   Was! Wirklich? (Ausrufe)

4. Wie **beendet** der Erzähler seine Geschichte? *(Übung mit der Klasse)*

   . . . darfst du dir gar nicht ausmalen, was hätte passieren können. (Kommentar)
   Aber im Ganzen gesehen war es Glück im Unglück, kann man sagen. (Zusammenfassung)
   Und wenn sie nicht gestorben sind, so leben sie noch heute. (Märchenformel)
   Das tue ich nie wieder, das kann ich dir sagen! (Kommentar)

REDEN

E. Wie fängt man an? *(in Gruppen zu dritt)* Oft ergibt sich mitten in einem Gespräch die Gelegenheit, zu signalisieren, daß man etwas länger sprechen will, damit man die Geschichte zu Ende erzählen kann. Der Zuhörer kann auch signalisieren, daß er/sie die Geschichte auch hören will.

memomemo

ERZÄHLERSIGNAL

Du, da muß ich dir gerade etwas erzählen.
Listen, I've got to tell you this.
Dabei fällt mir ein, als . . .
It just reminds me of when . . .
Übrigens, . . .
By the way . . .
Du glaubst nicht, was mir eben passiert ist!
You'll never believe what just happened to me.
Da habe ich auch mal eine Geschichte gehört. Nun . . .
I heard a story about that once. You see . . .
Laß mich (Lassen Sie mich) mal erzählen!
I'll tell you / Let me tell you.
Das kann man vielleicht mit der folgenden Geschichte illustrieren.
Perhaps I can illustrate this with the following story.
Wie es schon in der Geschichte von (. . .) heißt, . . .
Everyone knows the story by (. . .), where . . .

ZUHÖRERSIGNAL

Erzähl (Erzählen Sie) doch mal!
Please tell me!
Ich höre zu.
I'm listening.
Was war denn da los?
What was going on there?
Wie ist das geschehen? / Wie kommt das denn?
How did that happen?

Versuchen Sie jetzt die Aufmerksamkeit von zwei Kommilitonen zu gewinnen, indem Sie ihnen sagen, Sie wollen ihnen etwas erzählen. Die Zuhörer sollen auch signalisieren, daß sie zuhören wollen. Sie brauchen keine lange Geschichte zu erzählen.

z.B.: (eine Gruppe Zuhörer, eine Gruppe Erzähler)
A: Du glaubst nicht, was ich eben gehört habe!
(zum zweiten): Du, hör mal.
B: Erzähl doch mal!
C: Ja, was ist los?
A: Ich muß euch gerade etwas erzählen.
C: Ich höre zu.
A: Mein Artikel wird wahrscheinlich nächste Woche in der Zeitung gedruckt.
B: Wie kommt das denn?

Hier sind einige Themenvorschläge:

- Der Vermieter verkauft jetzt endlich das Haus, in dem Sie wohnen.
- Ihre Tante macht schon wieder eine Europareise und will Sie als Begleitung mitnehmen.
- Sie haben gestern abend eine Reifenpanne mit Ihrem Auto gehabt.
- Sie haben heute mit der Post einen Brief von Ihrem ehemaligen Deutschlehrer erhalten.
- Sie haben gestern Nacht einen Alptraum gehabt.

F. Fortsetzen. *(in Gruppen zu dritt)* Nach einer Unterbrechung will man als Erzähler auch fortfahren können und die Geschichte zu Ende erzählen. Es ist wieder einmal wichtig, daß man es dem Zuhörer signalisiert; der Zuhörer signalisiert dann auch eventuell, daß es ihm recht ist.

memo

Laß mich mal zu Ende erzählen!	Just let me finish!
Wie gesagt . . .	As I was saying . . .
Ja, und . . .	Well, anyway . . .
Auf jeden Fall . . .	Anyway, . . .
Ja, und weiter?	Yes, go on.
Erzähl doch mal zu Ende!	Go on, finish your story!

Sie erzählen der Gruppe eine kurze Geschichte. Während Sie erzählen, unterbrechen andere in der Gruppe, um kurz etwas zu sagen. Sie lassen sich nicht aus der Fassung bringen und fahren immer wieder mit der Erzählung fort.

Erzählen Sie eine persönliche Anekdote über Ihre Familie oder über die letzten Sommerferien, oder

- was Sie gestern in der Zeitung gelesen haben.
- die Geschichte, die Sie diese Woche in der Deutschstunde gelesen haben.
- eine Geschichte, die Sie mal gehört haben, aber selbst nicht glauben können.

G. Rate mal! *(in Gruppen zu viert oder fünft)* Einigen Sie sich auf einen Film, den Sie alle kennen. Jeder von Ihnen schreibt einen Satz über diesen Film. Was würden *Sie* über den Film sagen?

17:45 + 20:15

Erstaufführung

RAIN MAN

von Barry Levinson, USA 88, 133 Min., dt. Fass., Dolby-Stereo-SR, ab 12 J., mit Dustin Hoffman, Tom Cruise

Wegen Überlänge erhöhter Eintrittspreis

Dustin Hoffman spielt diesen Raymond Babbitt. Welches Ziel kann ein Gipfelstürmer sich setzen, wenn er alle Achttausender schon bezwungen hat? Was soll eine Primadonna noch singen, wenn ihr die halsbrecherischsten Koloraturen der Welt wie geölt über die Zunge perlen? Nach welcher Rolle soll ein Superschauspieler auf der Höhe seines Weltstarruhms greifen, um, jedesmal

Vor gut zwei Jahren wurde ihm ein Drehbuch angeboten, dessen Verfasser viel Erfahrung mit geistig Behinderten hatte. Es ging um zwei ungleiche Brüder — der eine flinker Geschäftsmann, der andere ein rührender Schwachkopf —, und es handelte davon, daß es einem Schlauen nicht gelingt, den Dummen um sein Erbe zu betrügen, und daß die beiden dennoch am Ende für immer zusammen-

23:00	Anfangszeiten wie angegeben	
Schmeiß' die Mama aus dem Zug		DONNERSTAG 20.4.
Lange Eddy Murphy Nacht **1) Der Prinz aus Zamunda** *(Coming to America), von John Landis, USA 88, 110 Min., Dolby-Stereo, dt. Fass. mit Eddy Murphy, Shari Headley, Arsenio Hall* **2) Auf der Suche nach dem goldenen Kind** *(The Golden Child), von Michael Ritchie, USA 86, 90 Min., dt. Fass., Dolby-Stereo, mit Eddy Murphy, Charlotte Lavis, Charles Dance* **3) Beverly Hills Cop I** *von Martin Brest, USA 84, 105 Min., dt. Fass.*		FREITAG 21.4. SAMSTAG 22.4.
Preview **Die Jungfrauen-maschine** s. S. 8		SONNTAG 23.4.
Good Morning Vietnam *von Barry Levinson* s. S. 17		MONTAG 24.4.
Barfly s. S. 19 *von Barbet Schroeder, USA 87, 97 Min., dt. Fass., mit Mickey Rourke, Faye Dunaway, Alice Krige* In »Barfly« sieht Mickey Rourke aus wie ein übervoller Mülleimer, ein besoffener Blutspender, der seinen Körpersaft der Gosse opfert. Nach einem Roman von Charles Bukowski.		DIENSTAG 25.4. MITTWOCH 26.4.
Good Morning, Vietnam s. S. 17	1:00	DONNERSTAG 27.4.
Falsches Spiel mit Roger Rabbit *(Who framed Roger Rabbit) Zeichentrickfilm von Robert Zemeckis, USA 88, 96 Min., dt. Fass., Dolby-Stereo, mit Bob Hoskins und Christopher Lloyd*	**Fritz the Cat** *Zeichentrickfilm von Ralph Bakshi, USA 71, 78 Min., dt. Fass., ab 18 J.* Die Katze ist ein richtiges Schwein, wenn sie grunzt, wären die Schweine gerne Katzen. Ein Muß für die Freunde des Underground-Comic. s. S. 18	FREITAG 28.4. SAMSTAG 29.4.

memomemomemomer

Es geht um (+ Akk.)	it (the film) is about
Es handelt sich um (+ Akk.)	it (the film) is about
Es ist die Geschichte eines	it is the story of
Der Film handelt von (+Dat.)	the film is about

POSITIV

wunderschön	beautiful
großartig	splendid
ausgezeichnet	exquisite
mächtig, kräftig	powerful, strong
nützlich	useful
toll	great
lustig	funny
pfiffig, schlau	clever

NEGATIV

häßlich	ugly
abscheulich	repulsive
scheußlich	horrible, atrocious
fürchterlich	awful, terrible
miserabel	wretched
grausam	cruel
gräßlich	revolting
böse	evil
komisch	bizarre
traurig	sad
gemein	mean
sonderbar	strange

NEUTRAL

weder gut noch schlecht	neither good nor bad
passabel	decent
einigermaßen	so so, acceptable
ganz angenehm	quite nice

Lesen Sie der Klasse Ihre Sätze vor. Die Zuhörer dürfen fünf Fragen stellen, um zu erraten, um welchen Film es sich handelt.

REDEN MITREDEN

H. Wortschatzerweiterung. *(Vorbereitung auf I)* Schreiben Sie vier Wörter oder Redewendungen auf, die Sie brauchen würden, um die folgenden wahren oder erfundenen Erlebnisse zu erzählen. Fragen Sie Ihren Lehrer oder schlagen Sie im Wörterbuch nach, wenn Sie den deutschen Ausdruck nicht kennen.

DAS TOLLSTE, WAS ICH JE ERLEBT HABE

z.B. riesengroß

DAS FURCHTBARSTE, WAS ICH JE ERLEBT HABE

z.B. Angst haben vor (+ Dat.)

DAS LUSTIGSTE, WAS ICH JE ERLEBT HABE

z.B. sich kaputt lachen

EINE ANEKDOTE AUS MEINER FAMILIENGESCHICHTE

z.B. böse sein auf (+ Akk.)

I. Hände und Gesicht sprechen mit! *(in Paaren)* Der Körper erzählt oft genau so viel wie die Wörter, die man gebraucht. Sie wenden sich Ihrem Nachbarn zu und erzählen ihm/ihr das Furchtbarste, was Sie je erlebt haben (Vokabeln: siehe oben). Sie haben vier Minuten Zeit. Sie müssen nicht immer die Wahrheit sagen, Sie dürfen ruhig übertreiben! Gebrauchen Sie Ihre Hände, Ihr Gesicht und Lautmalerei, um Ihre Geschichte interessanter zu machen. Als Zuhörer helfen Sie Ihrem Partner mit aktiver Teilnahme (siehe S. 87), Kopfnicken und interessiertem Gesichtsausdruck.

memomemomemo

LAUTMALEREI:

es war soooo groß *(Händezeichen)*	it was thaaaat big!
bums! klatsch!	sound of hitting or falling
plumps! platsch!	sound of falling into water
husch! wupp! hopp!	rapid movement (such as disappearing suddenly or moving quickly from one place to another)
schnipp, schnapp!	sound of cutting something to pieces
pitsch, patsch	walking in water puddles, wet feet on floor
puff! peng!	shooting
Au! Aua!	expression of pain
He!	expression of surprise or indignation
Hau ruck!	pulling/tugging together on something
Futsch!	broken! lost! gone!
bim bam	sound of bell

ZUHÖRERREAKTIONEN:

Ach was!	Is that so?
Wahrhaftig?	Honest?
Tatsächlich?	Really?
Das ist nicht möglich!	That's impossible.
Nicht zu glauben!	Unbelievable!
Du meinst . . .	You mean . . .

Jetzt wählen Sie einen anderen Partner. Erzählen Sie ihm dieselbe Geschichte. Sie haben diesmal nur drei Minuten! Dann wiederholen Sie Ihre Geschichte bei einem dritten Partner. Sie haben diesmal nur zwei Minuten! Jedesmal werden Sie die Geschichte mit größerer Sprechfertigkeit erzählen können.

Wie haben sich die drei Zuhörer verhalten?

1. ______________________________

2. ______________________________

3. ______________________________

Notieren Sie hier den Namen des besten Zuhörers: ______________________

Besprechen Sie in der Klasse, wie ein guter Zuhörer dem Erzähler helfen kann.

J. Rollenspiele. *(in Gruppen zu dritt)* Einer ist Erzähler, der zweite ist Zuhörer, der dritte ist Beobachter:

Erzähler und Zuhörer:
Nehmen Sie sich zwei Minuten Zeit, um über Ihre Rolle nachzudenken. Benutzen Sie dabei die Vokabeln, die Sie auf Seite 90 gesammelt haben und die Redemittel auf Seite 87. Dann spielen Sie folgende Rollenspiele vor einem dritten Studenten als Beobachter.

Beobachter:
Sie sollen notieren, wie Sprecher und Hörer sich verhalten und vor der Klasse darüber berichten.

1. **Der Angeber**
   Sie sind bei einer Party. Sie wollen Ihrem Gesprächspartner imponieren, und Sie erzählen ihm etwas Tolles, was Sie neulich erlebt haben. (Reise, Kino, Lotteriegewinn, neue Freundschaft, Führerschein . . .)
2. **Das Alibi**
   Sie werden angeklagt, am Abend des 15. August an einer Tankstelle Geld gestohlen zu haben. Erzählen Sie der Polizei, was Sie an dem Abend gemacht haben, und warum Sie nicht der Täter sein können.
3. **Was gibt's?**
   Sie kommen erst um 3 Uhr morgens nach Hause. Ihre Mutter wartet besorgt auf Sie. Erklären Sie ihr, warum Sie so spät zurückkommen. Erzählen Sie ihr, was passiert ist (etwas Furchtbares oder Lustiges).

K. Wortschatzerweiterung. *(Vorbereitung auf L, O)* Denken Sie an bekannte Märchen wie „Hänsel und Gretel", „Schneewittchen" (Snow White), „Rotkäppchen" (Little Red Riding Hood), „Dornröschen" (Sleeping Beauty), „Aschenputtel" (Cinderella). Diese Märchen besitzen typische Elemente. Phantasieren Sie mal und erfinden Sie noch zwei Elemente in jeder Kategorie.

Wann findet das Märchen statt?
im Winter

____

____

Wo spielt sich das Märchen ab?
auf dem Land

____

____

Wer ist der Held/die Heldin?
ein Prinz/eine Prinzessin

____

____

Was wünscht er, bzw. was fehlt ihm zu seinem Glück?
Liebe

____

____

Von wem bekommt er Ratschläge bzw. Auskunft?
von einem alten Mann

____

____

Wie macht der Held sich auf den Weg?
er geht in den Wald

____

____

Wen trifft er unterwegs?
ein Tier

____

____

Welche Hindernisse muß der Held überwinden?
Gespenster

____

____

Wo kommt der Held am Ende seiner Reise an?
an einem Schloß

____

____

Wer wohnt dort?
ein böser König

____

____

Wie wird der Held geprüft?
er wird verletzt

____

____

Wie hilft ihm sein Freund?
er macht ihn wieder gesund

____

____

Wie wird der Feind bestraft?	*Was bekommt der Held als Belohnung?*
er wird getötet	*einen Schatz*
____________________	____________________
____________________	____________________

L. Erzählrhythmus. *(in Paaren)* Ein Geschichtenerzähler erzählt nicht nur, was geschah, sondern macht immer wieder Pausen, um zu beschreiben, wie die Lage war. Diese Abwechslung von Erzählung und Beschreibung (oder Kommentar) gibt der Geschichte einen gewissen Rhythmus, der die Erzählung erst spannend macht.

Lesen Sie das Märchen von Hänsel und Gretel, bzw. die Urfassung, „Das Brüderchen und das Schwesterchen", und merken Sie sich dabei die Abwechslung von Erzählung und Beschreibung.

Das Brüderchen und das Schwesterchen

Es war einmal ein armer Holzhacker, der wohnte vor einem großen Wald. Er war so arm, daß er kaum seine Frau und seine zwei Kinder ernähren konnte. Eines Tages hatte er auch kein Brot mehr und war in großer Angst, da sprach seine Frau abends im Bett zu ihm: „Nimm die beiden Kinder morgen früh und führe sie in den großen Wald, gib ihnen das übrige Brot und mach ihnen ein großes Feuer an und dann geh weg und laß sie allein." Der Mann wollte lange nicht, aber die Frau ließ ihm keine Ruhe, bis er endlich einwilligte.

Aber die Kinder hatten alles gehört, was die Mutter gesagt hatte. Das Schwesterchen begann zu weinen, das Brüderchen sagte ihm, es solle still sein, und tröstete es. Dann stand er leise auf und ging hinaus vor die Tür. Da war es Mondenschein, und die kleinen weißen Steine glänzten vor dem Haus. Der Knabe las sie sorgfältig auf und füllte seine Taschen damit, soviel er nur hineinbringen konnte. Dann ging er wieder zu seinem Schwesterchen ins Bett und schlief ein.

Früh am Morgen, bevor die Sonne aufgegangen war, kamen der Vater und die Mutter und weckten die Kinder auf, die mit in den großen Wald sollten. Sie gaben jedem ein Stück Brot. Das Schwesterchen steckte sie unter das Schürzchen, denn das Brüderchen hatte die Tasche voll von den Kieselsteinen. Dann machten sie sich fort auf den Weg zu dem großen Wald. Wie sie nun so gingen, da stand das Brüderchen oft still und guckte nach ihrem Haus zurück. Der Vater sagte: „Warum bleibst du immer stehen und guckst zurück?" „Ach," antwortete das Brüderchen, „ich sehe nach meinem weißen Kätzchen, das sitzt auf dem Dach und will mir Ade sagen." Heimlich aber ließ es immer eins von den weißen Kieselsteinchen fallen. Die Mutter sprach: „Geh nur fort, es ist dein Kätzchen nicht. Es ist das Morgenrot, das auf den Schornstein scheint." Aber der Knabe blickte immer noch zurück, und immer wieder ließ er ein Steinchen fallen.

So gingen sie lange und kamen endlich mitten in den großen Wald. Da machte der Vater ein großes Feuer an, und die Mutter sagte: „Schlaft, ihr Kinder, wir wollen in den Wald gehen und Holz suchen. Wartet, bis wir wieder kommen." Die Kinder setzten sich ans Feuer, und jedes aß sein Stück Brot. Sie warteten lange, bis es Nacht wurde, aber die Eltern kamen nicht wieder. Da fing das

Schwesterchen an zu weinen, das Brüderchen tröstete es aber und nahm es an die Hand. Da schien der Mond, und die weißen Kieselsteinchen glänzten und zeigten ihnen den Weg. Und das Brüderchen führte das Schwesterchen die ganze Nacht durch, und sie kamen am Morgen wieder vor das Haus. Der Vater war froh, denn er hatte es nicht gern getan. Aber die Mutter war böse.

Bald danach hatten sie wieder kein Brot, und das Brüderchen hörte wieder abends im Bett, wie die Mutter zu dem Vater sagte, er solle die Kinder hinaus in den großen Wald bringen. Da fing das Schwesterchen wieder an heftig zu weinen, und das Brüderchen stand wieder auf und wollte Steinchen finden. Als es aber an die Tür kam, war sie verschlossen von der Mutter. Da fing das Brüderchen an traurig zu werden, und konnte das Schwesterchen nicht trösten.

Bevor es Tag wurde, standen sie wieder auf, jedes bekam wieder ein Stück Brot. Wie sie auf dem Weg waren, guckte das Brüderchen oft zurück. Der Vater sagte: „Mein Kind, warum bleibst du immer stehen und guckst zurück nach dem Haus?" „Ach," antwortete das Brüderchen, „ich sehe nach meinem Täubchen, das sitzt auf dem Dach und will mir Ade sagen." Heimlich aber zerbröselte er sein Stückchen Brot und ließ immer wieder ein Krümchen fallen. Die Mutter sprach: „Geh nur fort, es ist dein Täubchen nicht, es ist das Morgenrot, das auf den Schornstein scheint." Aber das Brüderchen blickte immer noch zurück, und immer ließ es ein Krümchen fallen.

Als sie mitten in den großen Wald gekommen waren, machte der Vater wieder ein großes Feuer an, die Mutter sprach wieder dieselben Worte, und beide gingen fort. Das Schwesterchen gab dem Brüderchen die Hälfte von seinem Stück Brot, denn das Brüderchen hatte seins auf den Weg geworfen. Sie warteten bis zum Abend, da wollte das Brüderchen das Schwesterchen beim Mondschein wieder zurückführen. Aber die Vögel hatten die Brotkrümchen aufgefressen, und sie konnten den Weg nicht finden. Sie gingen immer fort und verirrten sich in dem großen Wald. Am dritten Tag kamen sie an ein Häuschen, das war aus

Brot gemacht. Das Dach war mit Kuchen gedeckt, und die Fenster waren aus Zucker. Die Kinder waren froh, als sie das sahen, und das Brüderchen aß von dem Dach und das Schwesterchen von dem Fenster. Wie sie so standen und sich's gut schmecken ließen, da rief eine feine Stimme heraus:

„Knusper, knusper, Kneischen!
Wer knuspert an meinem Häuschen?"

Die Kinder erschraken sehr. Bald darauf kam eine kleine, alte Frau heraus, die nahm die Kinder freundlich bei der Hand, führte sie in das Haus und gab ihnen gutes Essen und legte sie in ein schönes Bett. Am nächsten Morgen aber steckte sie das Brüderchen in einen Stall, es sollte ein Schwein sein und das Schwesterchen mußte ihm Wasser bringen und gutes Essen. Jeden Tag kam die alte Frau zum Brüderchen. Er mußte den Finger herausstrecken, und sie fühlte, ob er bald fett wäre. Er streckte aber immer dafür Knöchelchen heraus, da meinte sie, er wäre noch nicht fett genug. Dem Schwesterchen gab sie nicht zu essen, weil es nicht fett werden sollte. Nach vier Wochen sagte sie am Abend zu dem Schwesterchen: „Geh hin und hole Wasser und mach es morgen früh heiß, wir wollen dein Brüderchen schlachten und sieden, und ich will indessen den Teig zurecht machen, daß wir auch backen können dazu."

Am nächsten Morgen, als das Wasser heiß war, rief sie das Schwesterchen vor den Backofen und sprach zu ihm: „Setz dich auf das Brett, ich will dich in den Ofen schieben, sieh, ob das Brot bald fertig ist." Sie wollte aber das Schwesterchen darin lassen und braten. Das merkte das Schwesterchen und sprach zu ihr: „Ich versteh das nicht, setz dich zuerst darauf, ich will dich hineinschieben." Die Alte setzte sich darauf, und das Schwesterchen schob sie hinein, machte die Tür zu, und die Hexe verbrannte. Dann ging die Schwester zu dem Bruder und machte ihm seinen Stall auf. Sie fanden das ganze Haus voll Diamanten und Edelsteinen. Damit füllten sie alle Taschen und brachten sie ihrem Vater, der wurde ein reicher Mann. Die Mutter aber war gestorben.

Nach den Brüdern Grimm,
Hänsel und Gretel Urfassung. 1812.

M. Erzählen Sie die Geschichte zu zweit nach. A erzählt zuerst, B beschreibt dann mit je mindestens vier bis fünf Sätzen.

A: „Vor einem großen Walde wohnte einmal ein armer Holzhacker mit seiner Frau und seinen zwei Kindern. Einmal kamen große Armut und großer Hunger ins Land, und er konnte seine Familie nicht mehr ernähren."

B: (*beschreibt die Armut und den Hunger*): „Es war nämlich so: . . . "

A: (*erzählt, was wegen des Hungers geschieht. Kinder in den Wald führen; wie sie den Weg nach Hause finden*): „Eines Tages . . . "

B: (*beschreibt, wie die Lage war, als die Kinder wieder zu Hause waren*): „Ja, nach einer Weile war es so, daß . . . "

A: (*erzählt, was dann geschieht: wieder Hunger; Kinder wieder in den Wald führen; Kinder verirren sich und kommen zum Knusperhäuschen*): „Nun geschah es, daß . . . "

B: (*beschreibt das Knusperhäuschen*): „Es war ein ganz sonderbares Haus . . . "

A: (*erzählt, was im Knusperhäuschen geschieht: freundlicher Empfang; Hänsel muß ins Ställchen und Gretel muß dienen*): ,,Als . . . "

B: (*beschreibt, wie die Lage war, vierzig Tage lang*): ,,Vierzig Tage lang . . . "

A: (*erzählt, was nach vierzig Tagen geschieht: Hänsel soll gebacken werden; Hexe wird von Gretel in den Ofen geschoben*): ,,Nach vierzig Tagen . . . "

B: (*beschreibt, was Hänsel und Gretel im Haus finden, nachdem die Hexe gestorben ist*): ,,Nachdem Gretel ihren Bruder befreit hatte . . . "

A: (*erzählt, was am Ende geschieht: Rückkehr nach Hause*): ,,Dann . . . "

REDEN MITREDEN DAZWISCHENREDEN

N. Erzählblume. *(in Gruppen zu viert)* Hier ist eine ,,Erzählblume". Jede Gruppe erfindet eine Geschichte, die die Wörter der Blume enthält. Erzählen Sie Ihre Geschichte vor der Klasse. Dabei übernimmt und erzählt jeder Erzähler ein oder zwei Blumenblätter.

Als Zuhörer notieren Sie sich auf der nächsten Seite auch die Sätze, in denen Ihre Wörter bei den anderen Geschichten vorkommen.

Blumenblatt: ______________________________

Wie ist der Satz in

Geschichte 1: ________________________________

Geschichte 2: ________________________________

Geschichte 3: ________________________________

Geschichte 4: ________________________________

Geben Sie jeder Geschichte, die Sie hören, einen Titel. Vergleichen Sie ihn mit den Titeln, die die anderen erfunden haben.

Meine Titel:

1. ________________________________
2. ________________________________
3. ________________________________
4. ________________________________

O. Kollektives Erzählen und Hören. In kleinen Gruppen werden 14 Kärtchen mit je einem der 14 Märchenelemente von S. 92 beschriftet (z.B.: der Held bekommt Auskunft im Traum). Jede Gruppe tauscht ihre 14 Karten gegen die Karten einer anderen Gruppe. Anhand dieser Karten erfindet die Gruppe gemeinsam ein Märchen und einen passenden Titel. Die Gruppen erzählen dann einander ihre Märchen.

memomen

Es war(en) einmal	Once upon a time there was
Bald danach / Kurz darauf	Shortly thereafter
einmal, zweimal, dreimal	Once, twice, three times
zum ersten / zweiten / dritten Mal	for the first/the second/the third time
Als er zum ersten Mal nach Hause kam . . .	The first time he came home . . .
noch einmal / wieder	one more time / again
Eines Tages . . .	one day . . .
Zuerst/ dann/ am Ende	at first/then/ in the end
Nach langer Zeit	after a long period of time
Als nun . . .	Now when . . .
Doch der König . . .	The king, however, . . .
. . . bis er starb.	. . . until he died.
. . . solange er lebte.	. . . as long as he lived.

P. Mündliche Überlieferung. *(in Gruppen zu sechst)* Geschichten wurden früher mündlich weitererzählt und bekamen dadurch jedesmal neue Variationen. Bilden Sie eine Gruppe mit fünf anderen Studenten. Jeder schreibt die Telefonnummer eines anderen in der Gruppe auf. A ruft B am Telefon an und erzählt ihm/ihr eine kurze Geschichte. B erzählt C diese Geschichte am Telefon weiter, C erzählt sie D, usw. Der erste und der letzte sollen die Geschichte am nächsten Tag in der Klasse erzählen.

Notieren Sie die erste und letzte Variation der Geschichte in Stichworten.

letzte Variante	**Originalgeschichte**
______________________	______________________
______________________	______________________
______________________	______________________
______________________	______________________
______________________	______________________
______________________	______________________
______________________	______________________
______________________	______________________
______________________	______________________
______________________	______________________

Vergleichen Sie die letzte Variante mit der Originalgeschichte: was ist ausgelassen, was hinzugedichtet worden? Besprechen Sie die Unterschiede.

memo

Es gibt ein paar Unterschiede, nämlich . . .	There are a few differences:
ganz anders	totally different
ungefähr so wie	roughly the same as
genauso wie	exactly the same as
Du hast vieles geändert.	You changed a lot of things.
In meiner Variante hieß es:	In my version it said:

Q. Wie geht es weiter? *(in Gruppen zu dritt)* Hier ist der Anfang einer Geschichte. Erfinden Sie das Ende der Geschichte in Ihrer Gruppe und erzählen Sie es einer anderen Gruppe. Sie haben die Wahl zwischen einer Geschichte mit einem Helden und einer mit einer Heldin.

Es war einmal eine Königstochter, die hatte in ihrem Schloß unter dem Dach einen Saal mit zwölf Fenstern, die gingen in alle Richtungen, und wenn sie hinaufstieg und umherschaute, so konnte sie ihr ganzes Reich übersehen. Aus dem ersten sah sie schon schärfer als andere Menschen, aus dem zweiten noch besser, aus dem dritten noch deutlicher und so immer weiter bis zum zwölften, wo sie alles sah, was über und unter der Erde war, so daß ihr nichts verborgen bleiben konnte.

Weil sie aber stolz war, ließ sie bekanntgeben, nur der solle ihr Gemahl werden, der sich so gut vor ihr verstecken könne, daß sie ihn nicht fände. Wer es aber versuche und sie entdecke ihn, dem werde das Haupt abgeschlagen und auf einen Pfahl gesteckt. Es standen schon 97 Pfähle mit toten Häuptern vor dem Schloß, und seit langer Zeit hatte sich niemand gemeldet . . .

* * *

Es war einmal in einem kleinen Dorf ein Besenbinder, der hieß Antek Pistulka. Das Besenbinden hatte er von seinem Vater gelernt, und der hatte es auch von seinem Vater gelernt, und der auch von seinem Vater. Jeder hatte es von seinem Vater gelernt. Darum machte Antek Pistulka auch so gute Besen.

Antek Pistulka war ein guter, ehrlicher Mensch. Er lebte friedlich mit allen Menschen zusammen und hatte nie Streit. Er arbeitete Tag für Tag und machte Besen, sehr gute Besen, die nie kaputt gingen.

Nun geschah es, daß bald jeder im Dorf einen Besen hatte, und auch einen Besen für Sonntag, und die waren so gut, daß sie nie kaputt gingen. Antek konnte also keine Besen mehr verkaufen, und die Leute gingen ihm aus dem Weg, sobald sie ihn sahen, aus Angst, er könnte ihnen wieder einen Besen verkaufen wollen . . .

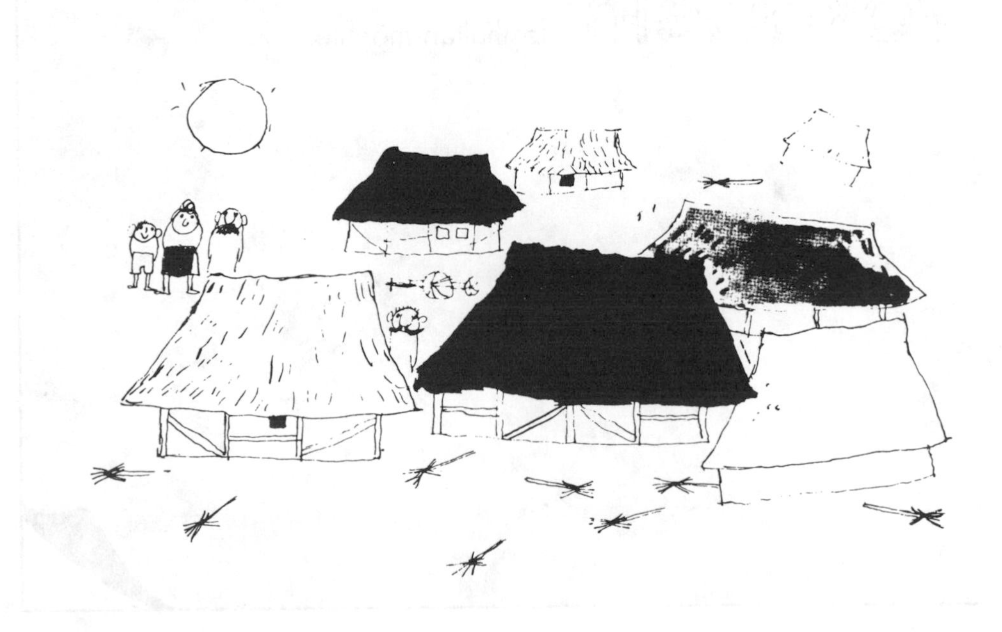

DAS RECHTE WORT ZUR RECHTEN ZEIT

Wissen Sie, was man in den folgenden Situationen sagen könnte?

R. Auf einer Fete.

1. Sie wollen einem Bekannten eine Geschichte erzählen. Wie sichern Sie seine Aufmerksamkeit und wie beginnen Sie Ihre Geschichte?

   Sie: ,,____"

2. Ein Freund spricht Sie an: ,,Oh, da hast du einen schönen Pullover!"

   Sie (nicht ,,danke!"): ,, ____"

3. Ein Gast erzählt gerade von seinem Urlaub in Jamaica. Sie waren voriges Jahr auch dort und wollen nun auch ein bißchen von Ihrem Urlaub erzählen.

   Sie (unterbrechen): ,, ____"

4. Eine Frau erzählt, was ihr auf dem Weg zur Fete passiert ist. Außer Ihnen hört keiner zu. Wie signalisieren Sie ihr, daß Sie doch zuhören?

   Sie: ,, ____"

S. Am Telefon.

1. Ein Kommilitone hat angerufen, um Ihnen kurz etwas mitzuteilen. Sie aber möchten ihm nun gern erzählen, wie Sie gestern unerwartet eine ehemalige Freundin in der Stadt getroffen haben. Wie sichern Sie die Aufmerksamkeit Ihres Kommilitonen? Sie: ,, ____"

2. Ihr Freund unterbricht Ihre Geschichte immer wieder und Sie wollen nun fortsetzen. Was sagen Sie? ,, ____"

3. Während Sie einem Freund von Ihrem Gespräch mit dem Vermieter erzählen, unterbricht er, um etwas anderes zu fragen. Sie möchten aber Ihre Geschichte zu Ende erzählen. Was sagen Sie? ,, ____"

Vokabeln die ich aus diesem Kapitel festhalten möchte:

KAPITEL

6

RAT HOLEN UND RAT GEBEN

6

„An deiner Stelle würde ich . . ."

DAS KONVERSATIONSSPIEL

KEEPING THE BALL ROLLING

BACKTRACKING

If the conversation has passed beyond the point where you had something to say, it is your right to return to that point, even if it no longer seems relevant. Use a starter (***also*** . . . , ***ja*** . . .), or possibly a mitigator (***Entschuldigung, aber*** . . .) followed by:

memo

Zurück zu der Sache mit . . .	Going back to the idea/thing about . . .
Aber das, was du vorhin gesagt hast . . .	But what you were just talking about . . .
Nun zurück zu dem, was du vorher gesagt hast . . .	But just to go back to what you said before . . .
Tja, und wie war das mit . . .	I just wanted to come back to . . .
Das erinnert mich gerade daran, was . . .	That just reminds me of . . .

GAINING TIME

To keep the floor, you need time to think while talking, even in the middle of a sentence. A little resourcefulness and imagination can help your fluency. Buy time with such fillers as:

memo

. . . eigentlich . . .	actually
. . . irgendwie . . .	somehow
. . . sagen wir mal . . .	let's say
. . . also . . .	therefore; well anyway
. . . nicht (wahr) . . .	right?
. . . wie soll ich sagen . . .	how should I say
. . . ja, ich meine . . .	yes, I mean
Auf jeden Fall . . .	In any case
Wissen Sie . . .	You realize, you know

Here is another route to try. Observe in the following transcript how a native speaker struggles to get a message across with fillers and paraphrases. This is a student trying to describe the difficulty she has in understanding a particular text.

> „. . . also . . . ich finde . . . es ist eigentlich . . . sagen wir mal . . . viel unverständlicher zu lesen . . . also . . . wie soll ich sagen . . . es ist so schwer, den Gedanken zu bekommen . . . ja . . . ich meine . . . man muß . . . öfter hinsehen . . . "

A. Peinliche Angelegenheit. *(Rollenspiel in Paaren)*

Person A:
Sie bewerben sich um eine neue Stelle als Kellner oder Tellerwäscher. Sie wollen beim Vorstellungsgespräch so lange wie möglich verschweigen, warum Sie Ihre letzte Stelle verlassen haben (man hat Sie nämlich hinausgeworfen, weil Sie in der Küche geraucht haben). Sie versuchen, das Thema zu vermeiden, *ohne zu lügen.*

Person B.
Sie interviewen den Kandidaten für eine Stelle als Kellner oder Tellerwäscher. Sie sind etwas mißtrauisch. Versuchen Sie herauszufinden, warum er seine letzte Stelle verlassen hat. Sie haben nur 3 Minuten Zeit zu reden!

B. Zurück zu der Sache mit . . . *(in Paaren)* Ihr Partner/Ihre Partnerin wird die folgenden Sätze sagen. Sie werden ihn/sie unterbrechen, um auf das Thema in Klammern zurückzukommen und etwas dazu zu sagen.

z.B.: — und ich finde die Situation wirklich unmöglich! (Bruder)
— Aber zurück zu der Sache mit deinem Bruder. Hat er jetzt wieder eine Stelle gefunden?

1. Ich bin wirklich nicht zufrieden mit meinem Fortschritt in diesem Kurs. (Professorin)
2. . . . und ich bin fest davon überzeugt, daß das nicht stimmen kann. (eine Reise nach Griechenland)
3. Er hat sich vorgestellt, aber ich habe mir den Namen nicht gemerkt. (die Fete bei Christa)
4. Ich muß mich beeilen. Die Vorlesung beginnt in fünf Minuten. (nächstes Wochenende)
5. . . . und so gibt es die Berliner Mauer, die 1961 gebaut wurde, nicht mehr. (Gorbatschow)

HÖREN UND VERSTEHEN

Wie macht man das auf englisch?

C. A German-speaking friend has been having trouble getting advice from his teacher and giving a colleague advice on buying a new desktop computer. He wants to know the most effective way of asking others for advice and also of giving advice in English. Suggest two ways he could ask for advice, and then two ways he could give advice in the above situations. Make note of the register implied by the phrasing: formal, informal, or slang.

Asking for advice:

1. ______________________________

2. ______________________________

Giving advice:

1. ______________________________

2. ______________________________

GESPRÄCH 1

D. Hören Sie dem ersten Gespräch auf dem Tonband mehrmals zu, und dann machen Sie die Übungen zu Teil A und Teil B im Buch. Die Übung 1 zu Teil C ist auf dem Tonband.

Eine Frau spricht mit einem Mann und versucht, ihm Rat zu geben. Der Mann lehnt den Rat ab.

TEIL A: Was haben sie gesagt?

Welche mögliche Beziehung hat die Frau zu diesem Mann?

___ Ehepartner

___ Chefin und Angestellter

___ zwei Mitbewohner einer Wohngemeinschaft

___ zwei Mitarbeiter im Reisebüro

___ zwei Verwandte, z.B. Onkel und Nichte

Woher wissen Sie das? Was merken Sie an der Sprache und an der Situation?

____

____

Am Anfang des Gesprächs will Jörg Helga eine Zigarette anbieten und dann redet er gleich weiter über das Rauchen. Wie ist sein Ton? Was will er Helga sagen? Hören Sie sich noch einmal den Anfang an, und ergänzen Sie den Ausschnitt unten.

Jörg: *Rauchst du?*
Helga: *Nein, danke.*

Jörg: *Wenn _______________________________, rauche ich noch eine. Das ist ________________ meine fünfte Zigarette. Ich halte mich wirklich ________________ heute. (. . .)*

Wie steht Jörg zu seinem Rauchen?

___ Er ist stolz darauf, daß er raucht.

___ Er möchte lieber nicht rauchen.

___ Er will jetzt weniger rauchen.

___ Er ist verzweifelt, daß er soviel raucht und weiß nicht, was er machen soll.

____

(Ihre eigene Interpretation)

Im weiteren Verlauf des Gesprächs macht Jörg seine Meinung deutlich, während Helga eine passivere Sprecherrolle übernimmt. Ergänzen Sie den Ausschnitt unten.

(. . .)
Jörg: *Du, früher rauchte ich zwei Packen am Tag.*

Helga: *Oh je, (1) _______________________________ aber mal wirklich, das etwas einzuschränken.*

Jörg: *Also (2) _______________________________. Ich schreibe dir ja auch nicht vor, wieviel Sport du treiben sollst.*
Helga: *Das stimmt, aber ich denke, beim Rauchen ist das etwas anderes. Weil ich doch jetzt, wenn ich mit dir hier zusammen sitze, mitrauchen muß.*

Jörg: *Wie doch, (3) _______________________________, daß Leute sich gegenseitig vorschreiben, wie Sie sich verhalten sollen, was für Ihre Gesundheit gut ist.*

Helga: *Da hast du recht, aber (4) _______________________________ ________, wie du das versuchen könntest. Hast du es überhaupt schon mal versucht? (. . .)*

TEIL B: Was haben sie getan?

Interpretieren Sie, was Sprecher und Hörer mit ihren Worten getan haben. Verwenden Sie dabei die Verben in der folgenden Liste.

jemand um Rat bitten
jemand (einen) Rat geben
Rat annehmen
Rat ablehnen

(1) Helga gibt Jörg einen Rat.

(2) Jörg ______________________________

(3) Jörg ______________________________

(4) Helga ______________________________

Was ist am Ende des Gesprächs los? Was meinen Sie?

___ Helga möchte einen Streit vermeiden.

___ Jörg will nicht, daβ Helga zu Wort kommt.

___ Helga fühlt sich verletzt, weil Jörg ihre Ideen nicht hören will.

___ Jörg redet ungern über persönliche Angelegenheiten.

(Ihre eigene Interpretation) ______________________________

____

____

TEIL C: Was kann man noch sagen?

1. Was sagt man, wenn man einen Rat geben will? *(Übung auf dem Tonband)*

An deiner Stelle würde ich . . .	If I were you . . .
Ist es nicht besser, wenn . . .	Wouldn't it be better for you, if . . .
Du solltest . . .	You should definitely . . .
Also da rate ich dir . . .	I advise you there to . . .

2. Wie kann man einen Rat ablehnen, wenn man nicht damit einverstanden ist? *(Übung mit der Klasse)*

Es geht einfach nicht an, daβ . . .	It's just out of the question that . . .
Ich finde nicht, daβ du mir da reinreden solltest.	I just don't think it's any of your business.
Was mich daran stört ist . . .	What bothers me about that is . . .
Das ist alles schön und gut, aber . . .	That's okay, but . . .

GESPRÄCH 2

E. Hören Sie dem zweiten Gespräch auf dem Tonband mehrmals zu, und dann machen Sie die Übungen zu Teil A und Teil B im Buch. Die Übung 1 zu Teil C ist auf dem Tonband.

Zwei junge Frauen sprechen miteinander über ihr Befinden. Renate will Helga um Rat bitten.

TEIL A: Was haben sie gesagt?

Welche mögliche Beziehung haben die zwei Frauen?

____ Ärztin und Patientin

____ zwei Kommilitoninnen

____ Geschwister

____ Mutter und Tochter

Welche Wörter oder Sätze geben Ihnen diesen Eindruck?

____

____

Helga gibt Renate viele Ratschläge, aber öfter ziemlich indirekt, indem Sie Renate eine Frage stellt oder von sich selbst redet. Welchen Ton hat das Gespräch? Ergänzen Sie die folgenden Ausschnitte.

Renate: *(1) ______________________________. Ich bin immer so müde.*

Helga: *Renate, schläfst du denn genug? (2) ____________________ ____________, ich muß nach der Arbeit immer irgendetwas machen, zum Beispiel schwimmen gehen oder laufen.*

Renate: *Ja, (3) ________________________. Und schlafen könnte ich auch mehr.*

Helga: *Wieviel schläfst du denn jede Nacht? Also ich brauche so acht bis neun Stunden.*

Renate: *Weißt du, eigentlich nur sechs bis sieben. (4) ______________ ______________?*

Helga: *Ja, du unternimmst einfach zuviel.*

Renate: *(5) ________________. Aber ich gehe heute abend zum Beispiel mit Freunden in die Stadt und dann wird's wieder spät. (6) ________ ____________________, da „nein" zu sagen? (. . .)*

TEIL B: Was haben sie getan?

Interpretieren Sie, was Sprecher und Hörer mit ihren Worten getan haben. Verwenden Sie dabei die Verben in der folgenden Liste.

jemand um (einen) Rat bitten
jemand Rat geben
einen Rat annehmen, befolgen

(1) Renate bittet Helga um Rat.

(2) Helga ______________________________

(3) Renate ______________________________

(4) Renate ______________________________

(5) Renate ______________________________

(6) Renate ______________________________

TEIL C: Was kann man noch sagen?

1. Wie bittet man um Rat? *(Übung auf dem Tonband)*

Ich weiß nicht, was ich machen soll.	I don't know what I should do.
Was mache ich da am besten?	What would be the best?
Was rätst du mir?	What do you advise me?
Wäre es vielleicht besser, wenn . . . ?	Would it perhaps be better if . . . ?

2. Was sagt man, wenn man einen Rat annehmen möchte? *(Übung mit der Klasse)*

Ich probiere es mal.	I'll try it.
Ein guter Rat. Ich versuch's.	Good advice. I'll give it a try.
Das ist *die* Idee!	What an idea!
Du hast sicher recht.	I'm sure you're right.

REDEN

F. Wortschatzerweiterung. Welche Wörter oder Ausdrücke brauchen Sie, um das Thema ,,physical fitness" auf deutsch zu besprechen? Machen Sie eine Liste von zehn englischen Wörtern. Dann schlagen Sie im Wörterbuch nach, wie die Ausdrücke auf deutsch heißen. Vergleichen Sie die Listen in der Klasse und ergänzen Sie Ihre Liste.

Englisch	Deutsch
physical fitness	Trimmsport
to stay fit	fit bleiben

G. Wie soll ich fit bleiben? *(alle zusammen)*

memo

RAT GEBEN

Ich würde Ihnen vorschlagen . . .	I would suggest to . . .
Wenn ich Ihnen einen Rat (Tip) geben darf, . . .	If I can just give you a tip . . .
(Verb) **Sie doch lieber!**	It would be better for you to (Verb)!
Sie könnten ja immer . . .	You could always just . . .
Warum (Verb) **Sie nicht?**	Why don't you (Verb)?
Ich will dir doch nur mal so einen Rat geben . . .	I just wanted to give you a piece of advice on . . .

memo

RAT ABLEHNEN

Ich finde es wichtiger, daß . . .	I think it's more important . . .
Da bin ich mir nicht sicher.	I'm not sure about that.
Ich finde, jeder sollte sich um seine eigenen Angelegenheiten kümmern.	I think everybody should mind his own business.

Ihr/e Lehrer/in ist immer erschöpft, hat keine Energie. Der Arzt meint, es wäre gut, neben der Arbeit auch Sport zu treiben. Letzte Woche fing er/sie mit Jogging an, aber das findet er/sie doch sehr langweilig. Was würden Sie ihm/ihr empfehlen? Sie haben zwei Minuten, um eine Liste zu machen.

Empfehlungen:

Nun sprechen Sie mit dem/der Lehrer/in in der Klasse und versuchen Sie, ihm/ihr einen guten Rat zu geben. Benutzen Sie die Ausdrücke für ,,Rat geben" und ,,Rat ablehnen" von S. 108/109 und weitere Ausdrücke unten. Wenn Ihre erste Idee abgelehnt wird, versuchen Sie es weiter.

H. Probleme, Probleme! *(alle zusammen)* Was stört Sie? Welche alltäglichen Probleme reizen Sie so, daß Sie sagen müssen: ,,Das nervt mich!"

die Frisur / unmöglich aussehen
abnehmen oder zunehmen / müssen
Angst vorm Fliegen / haben
am Telefon / was sagen?
Schwester / unordentlich sein
Kollege / mich nicht grüßen
nie genug Taschengeld / haben
immer Verspätung / haben

Person A: erklärt kurz das Problem und bittet die anderen in der Gruppe um Rat.
Person B: gibt Person A einen kurzen Rat.
Person A: nimmt den Rat an.

z.B.: **A:** Gibt es ein Reisebüro, das sich auf Studentenreisen spezialisiert?
B: Also da rate ich dir, ins Hansareisebüro zu gehen.
A: Ein guter Rat. Ich versuch's.

I. Mensch, weißt du was! *(zuerst in Paaren und dann alle zusammen)*

memo

Mensch, weißt du was!	Hey, you know what?
Weißt du, mir ist was Tolles eingefallen!	You know, I just had a great idea!
Das mußt du dir unbedingt anhören (ansehen)!	You've got to hear (see) this!
Du, ich hab da eine tolle Idee.	Hey, I have a great idea.
Hör mal zu!	Listen to this!
Ich hab's!	I've got it!
Wie wäre es (denn), wenn du . . .	How would it be if you . . .

Wenn Sie wollen, daß Ihr Rat akzeptiert wird, müssen Sie Ihre Vorschläge besonders attraktiv machen. Wenn Sie richtig enthusiastisch reden, hört der andere bestimmt zu. Überlegen Sie sich zu zweit für jedes Thema zwei Vorschläge. Schreiben Sie Stichwörter auf.

Ein Film, den man unbedingt sehen sollte:

1. ______________________________
2. ______________________________

Wie man schnell reich werden kann:

1. ______________________________
2. ______________________________

Wo man außerhalb des Unterrichts Deutsch üben kann:

1. ______________________________
2. ______________________________

Was man in der nächsten Deutschstunde machen könnte:

1. ______________________________
2. ______________________________

Wie man leichter einschläft:

1. ______________________________
2. ______________________________

Jetzt versucht jede Person seine/ihre Ideen den anderen Klassenkameraden zu „verkaufen" oder besonders enthusiastisch vorzuschlagen. Merken Sie sich, welche Ideen am besten angekommen sind. (Zeitgrenze: 5 Minuten) Teilen Sie Ihre Ergebnisse der ganzen Klasse mit.

J. Lieber nicht. *(zuerst in Paaren und dann alle zusammen)*

memo

Ja, aber was noch schlimmer ist . . .	Yes, but what's even worse is . . .
Du schläfst besser nicht am Nachmittag.	It's better for you not to sleep in the afternoon.
Dusche bloß nicht/nur nicht/ja nicht.	What ever you do, don't shower!

Sie können bestimmt auch Ratschläge geben, was man **nicht** machen soll, wenn man schnell einschlafen möchte. Sie haben zwei Minuten, um eine Liste aufzustellen.

Wenn man einschlafen will, soll man nicht:

____

____

____

____

____

Versuchen Sie nun, anderen in der Klasse Rat zu geben.

SCHLAFEN. NICHTS ALS SCHLAFEN

Und was tun, wenn man es nicht kann? Einiges. Gesundes.

Therapie Naturmedizin

Hier meine Ratschläge, wie man auf natürliche Weise seinen gesunden Schlaf wiederfinden kann. Überdenken Sie zunächst einmal Ihr Schlafritual, Ihre „Schlafhygiene". Dazu gehört: abends nicht zu spät und nicht zu schwer essen. Eiweißhaltige Speisen – vor allem Fleisch – sollten in der ersten Tageshälfte gegessen werden. Kohlenhydratreiche Nahrung wie Brot und Kartoffeln hingegen bevorzugt am Abend. Sie belasten den Stoffwechsel weniger.

Hilfreich ist auch ein kurzer Spaziergang vor dem Zubettgehen, eine lauwarme Dusche oder ein Warm/Kalt-Wechselfußbad. Das hilft auch nachts, wenn die Beine heiß und unruhig sind.

Ganz wichtig: Ärger und Sorgen sollten im Schlafzimmer keinen Platz haben. Ungelöste Probleme lassen sich am anderen Morgen leichter lösen, vor allem, wenn man einige Stunden tief geschlafen hat. Auch der Fernseher hat im Schlafzimmer nichts zu suchen.

Und welche Wirkung haben Genußmittel wie Kaffee und Zigaretten? Sie verhindern die natürliche Schlafbereitschaft. Anders kleine Mengen Alkohol, zum Beispiel ein Glas Bier oder Rotwein. Reichlicher Alkoholgenuß am Abend hingegen stört den gesunden Schlaf. Schon wer mehr als einen halben Liter Wein trinkt, schläft schlechter, ist am Morgen weniger erholt.

Wenn alle diese Tips nicht helfen: Es gibt genügend Heilpflanzen, die milde beruhigen. So Baldrian, als Tee oder Tablette, Hopfen, Melisse, oft auch zusammen mit Johanniskraut und manchmal Weißdorn in einer der zahlreichen Kombinationen. Lavendel, Thymian und Melisse können in ein Kissen eingenäht werden, das durch die beruhigenden Duftstoffe zum Schlafkissen wird. Neuerdings gibt es noch eine andere Therapiemöglichkeit: Wissenschaftler fanden heraus, daß sich bestimmte Schlafstörungen durch Tryptophan, einen für den Körper notwendigen Eiweißbaustein, regulieren lassen. Inzwischen gibt es das Tryptophan als biologisches „Schlafmittel".

Die vielen anderen – mehr oder weniger starken – Schlafmittel, die das Zentralnervensystem beeinflussen, sollten jedoch nur in Ausnahmesituationen eingenommen werden.

K. Studentenberatung. *(in Gruppen zu fünft)*

memo

FÜR DEN RATSUCHENDEN

Was würden Sie an meiner Stelle tun?	What would you do if you were in my place?
Was sollte man Ihrer Meinung nach machen?	What, in your opinion, should be done?

FÜR DIE BERATER

Es wäre gut, wenn . . .	It would be good, if . . .
Geh doch zum/ins . . .	Just go to/into . . .
Das lohnt sich! (Es lohnt sich, dahin zu gehen.)	It's worth it!

In jeder Gruppe übernimmt eine Person die Rolle eines Studienanfängers an Ihrer Universität, der bei den fortgeschrittenen Studenten Rat sucht. Es geht um typische Probleme am Studienbeginn, z.B.:

- Wie sucht man am besten ein Zimmer?
- Soll ich vor dem ersten Tag Bücher besorgen?
- Wo kann man als Vegetarier essen?
- Wo kann ich andere Studenten treffen?

Der Ratsuchende soll nun verschiedene Ratschläge von den anderen in der Gruppe sammeln und den besten aufschreiben. Tauschen Sie die Rollen, bis alle den Ratsuchenden gespielt haben. Sammeln und heften Sie die Ergebnisse Ihrer Studentenberatung an die Klassenzimmerwand, damit die anderen Studenten davon profitieren können.

Was rätst du mir ?
FRAGE/PROBLEM:
BESTER RATSCHLAG:

L. Am Apparat. *(in Gruppen zu dritt)*

memo

(Frau) Doktor X am Apparat.	Here is Dr. X.
Was fehlt ihm/ihr denn?	What's wrong with him/her?
Sagen Sie, raucht er viel?	Tell me, does he smoke a lot?
Wie steht es mit Sport?	What about sports?
Ich empfehle ihm/ihr dringend	I urgently advise him/her to spend
eine Woche Bettruhe.	a week in bed.
Arzneimittel.	various medicines.
das Rauchen aufzugeben.	to give up smoking.
vernünftig zu essen.	to eat sensibly.

Sie suchen telefonisch Rat beim Arzt für:

1. Ihren Gatten/Ihre Gattin, der/die keine Stimme hat und nur flüstern kann;
2. Ihren/Ihre Mitbewohner/in, der/die Rückenschmerzen hat und nicht ans Telefon gehen kann;
3. Ihren Arbeitskollegen/Ihre Arbeitskollegin, dem/der plötzlich schwindlig wurde und der/die nicht ans Telefon gehen kann.

Da der Patient/die Patientin nicht ans Telefon kann, muß die Information durch den Anrufer erfragt werden. Der Arzt stellt für seine Diagnose weitere Fragen. Vertauschen Sie die Rollen, damit jeder Patient, Arzt und Anrufer spielen kann.

M. Fit bleiben im Alltag—ein Fernsehinterview. *(Rollenspiel zu dritt: 15 Minuten)*

memo

Meinen Sie nicht, daß . . .	Don't you think that . . .
Übertreiben Sie da nicht, wenn Sie sagen . . .	Aren't you exaggerating in saying . . .
Mir scheint aber, daß . . .	It seems to me that . . .

Redakteur/in eines neuen Gesundheitsmagazins:
Sie möchten einige Mißverständnisse über das Thema „Fit bleiben im Alltag" klären und sind bereit, weitere Zuschauerfragen zu beantworten.

Fernsehzuschauer:
Sie haben einige Ideen zum Thema „Fit bleiben im Alltag", z.B.:

1. Der Mensch braucht eigentlich weniger Schlaf, als man denkt.
2. Ältere Menschen machen sich mehr Sorgen über ihren Schlafbedarf.
3. Je aktiver man ist, desto gesünder ist man.
4. ______________________________
5. ______________________________

Fernsehinterviewer:

Im Fernsehmagazin interviewen Sie nun den Redakteur/die Redakteurin über Ihre neue Gesundheitszeitschrift. Sie laden die Zuschauer ein, weitere Fragen zu stellen. Bei manchen Antworten stimmen Sie aber nicht mit dem Redakteur/der Redakteurin überein. Sie sagen dem Redakteur/der Redakteurin, was Ihre Meinung dazu ist.

N. Test: Wie gesund leben Sie? *(in Paaren)* Führen Sie diesen Test allein durch. Dann lesen Sie zusammen mit Ihrem Partner die Erklärungen. Was raten Sie Ihrem Partner an Hand der Ergebnisse dieses Tests?

TEST

Wie gesund leben Sie?

Bitte kreuzen Sie die Antworten der folgenden sechs Fragen in der entsprechenden Rubrik der Tabelle an.

Frage 1:
Wenn es ums Essen geht
- können Sie sich einfach nicht beherrschen? A
- Passen Sie grundsätzlich auf, daß Sie vollwertige Kost, aber nicht zuviel Fett und Kohlenhydrate verdrücken? B
- Achten Sie nur dann auf die Nahrungszusammenstellung, wenn Sie abnehmen wollen? C

Frage 2:
Wie stehen Sie zum Alkohol?
- Sie trinken nur zu besonderen Anlässen bzw. sehr kontrolliert B
- Sie trinken täglich mindestens eine Flasche Wein oder einen Liter Bier A
- Sie trinken fast täglich bis zu drei Glas Wein oder einen halben Liter Bier C

Frage 3:
Was bedeutet Ihnen Rauchen?
- Nichts – Sie haben aufgehört zu rauchen oder nie geraucht B
- Sie rauchen zwischen 10 und 20 Zigaretten täglich C
- Sie rauchen mehr als 20 Zigaretten pro Tag A

Frage 4:
Durch Ihre Arbeit fühlen Sie sich
- sehr befriedigt B
- überfordert A
- ausgelastet C

Frage 5:
Was Medikamente angeht :
- Sie nehmen nur in akuten Fällen welche B
- Sie machen gerne Gebrauch von den Fortschritten der Chemie C
- Sie brauchen regelmäßig Beruhigungstabletten oder Tabletten zum Einschlafen A

Frage 6:
Das Thema Ausgleichssport
- gibt es für Sie nicht A
- Sie tun nur gelegentlich etwas C
- Sie betreiben regelmäßig Sport oder sorgen zumindest für körperliche Bewegung B

	A	B	C
Frage 1			
Frage 2			
Frage 3			
Frage 4			
Frage 5			
Frage 6			

Zählen Sie jetzt zusammen, unter welchem Buchstaben Sie die meisten Kreuze haben.

Wenn die A-Antworten überwiegen: Sie treiben Raubbau mit Ihrer Gesundheit! Haben Sie schon mal nachgedacht, woran es liegen könnte, daß Sie Ihre Schwächen und Ihre unkontrollierte Lebensweise nicht in den Griff bekommen? Sprechen Sie doch einmal offen mit einem verständnisvollen Arzt oder Therapeuten. Auch wenn Sie sich jetzt noch rundum wohl fühlen – denken Sie daran, daß man gesundheitliches Fehlverhalten eines Tages büßen muß.

Wenn die B-Antworten überwiegen: Gratulation! Sie sind das Musterbeispiel eines gesundheitsbewußten Menschen. Wenn Sie nicht gerade das Pech haben und mit einer schlechten Kondition erblich belastet sind, garantiert Ihnen Ihre Lebensweise eine stabile, blühende Gesundheit.

Wenn die C-Antworten überwiegen: Sie wollen das Leben ohne frustrierende Auflagen genießen. Deshalb haben Sie kein sinnvolles Gesundheitskonzept. Andererseits aber strapazieren Sie Ihre Gesundheit nicht durch Exzesse. Trotzdem: Etwas mehr gesundheitliches Verantwortungsbewußtsein wäre eine wertvolle Investition in Ihr zukünftiges Allgemeinbefinden.

Meine Ratschläge:

1. ______________________________

2. ______________________________

3. ______________________________

Welche Fragen fehlten Ihrer Meinung nach bei diesem Test?

1. ______________________________

2. ______________________________

O. Fragen Sie Frau Barbara. *(in Paaren)*

memo

Ich habe den Eindruck, daß . . .	I have the feeling that . . .
Meinetwegen!	Sure. I agree.
Von mir aus schon.	As far as I'm concerned, sure.
Wie du meinst.	O.K. Whatever you think.
An seiner Stelle würde ich . . .	In his place, I would . . .

In Zeitschriften und Illustrierten gibt es oft eine Ratgeberspalte, wo Leser und Leserinnen bei Gleichaltrigen oder Gleichgesinnten Rat suchen können. Es geht oft um Gesundheitsfragen, Liebe und Freundschaft, Familienprobleme oder auch um richtiges Benehmen. Wie würden Sie auf die folgenden Briefe antworten?

Sie fragen –

Seine Mutter ist ihm wichtiger als ich!

Sybille W., 21, Angestellte: *Mein Freund und ich hatten die Absicht, am 13. Juli zu heiraten, aber dieser Termin wurde wieder verschoben, weil seine Mutter zur Kur fährt. Und sobald sie zurückkommt, erwartet sie seine täglichen Besuche, so wie gewohnt. Er wird sich dann wieder um sie kümmern, mehr als um mich, und das ist mein Problem! Er hängt mit abgöttischer Liebe an seiner Mutter; Geschwister hat er nicht. Wird unsere Ehe darunter leiden? Ich bin plötzlich so unsicher geworden!*

Hände aus den Taschen

FRAGE: Man sieht immer häufiger Leute, die ihre Hände in den Taschen vergraben, nicht nur, wenn sie über die Straße gehen, sondern auch im Gespräch. Ich bin durchaus für lockere Sitten und meine, daß Hände bei Kälte in den Taschen verschwinden dürfen oder meinetwegen auch, weil es modisch ist. Aber beim Gespräch sollten sie doch nicht derart versteckt sein. Kürzlich hörte ich, wie ein sechzehnjähriger Junge von einer Lehrperson deshalb scharf getadelt wurde. Angeblich wußte er gar nicht, worum es ging.

Ich habe mich verliebt, aber er beachtet mich überhaupt nicht

FRAGE: Ich (15) habe mich in einen Jungen verliebt, von dem ich nur den Namen weiß. Er geht in eine Parallelklasse. Fast in jeder Pause beobachte ich ihn heimlich, aber er sieht mich überhaupt nicht. Obwohl ich versucht habe, ihn zu vergessen, muß ich immer nur an ihn denken. Da ich noch nie einen Freund hatte, weiß ich nicht, was ich machen soll, damit er wenigstens mal auf mich aufmerksam wird.

Auf Partys fange ich oft Streit an

FRAGE: Es passiert mir (37) häufiger, daß ich auf Festen sehr aggressiv werde. Manchmal trinke ich auch zuviel. Mein Mann ärgert sich natürlich darüber und wird immer stiller. Ich bin dann in den Augen der anderen die Böse, mein Mann tut allen leid. Ich bin lebhaft, hilfsbereit und gutmütig. Mein Mann ist ruhiger, fast ein wenig menschenscheu. Er hat oft keine Lust, auf Partys zu gehen, ich muß ihn regelrecht drängen. Mißmutig kommt er mit, und wir fahren nicht gerade gutgelaunt los. Oder bin ich aggressiv, weil ich zwar gern unter Menschen bin, unseren Bekanntenkreis aber oft langweilig finde?

Besprechen Sie mit Ihrem Partner die Probleme, die diese Leute schildern. Was würden Sie an ihrer Stelle tun? Nach fünf Minuten vergleichen Sie Ihre Ratschläge mit denen von zwei anderen Partnerpaaren.

Die Antworten auf diese Briefe sind im Lehrerheft abgedruckt. Fragen Sie danach.

P. Ein Brief. *(schriftliche Arbeit)* Welches Problem beschäftigt Sie im Moment? Schreiben Sie einen kurzen Brief und schildern Sie ein Problem aus Ihrem Privat- oder Berufsleben. Lassen Sie Ihrer Phantasie freien Lauf. Um Ihre Anonymität zu wahren, unterschreiben Sie mit einem Pseudonym. Aus dem Stapel eingereichter Briefe zieht jeder einen Brief und schreibt eine Antwort darauf. Hängen Sie Brief und Antwort in Ihrem Klassenzimmer an die Wand, damit alle an den klugen Ratschlägen Spaß haben können.

REDEN MITREDEN DAZWISCHENREDEN

Q. Was ich schon immer fragen wollte . . . . *(in Gruppen zu fünft)* Welche Probleme gibt es beim Lernen einer Fremdsprache? Sicherlich haben Sie in Ihrer bisherigen Erfahrung als Fremdsprachenstudent/in Fragen und Probleme gehabt, die eventuell bis heute noch unbeantwortet oder ungelöst geblieben sind. Nicht alle Studenten haben die gleichen Fragen, und manchmal geniert man sich, gewisse Fragen zu stellen.

Im Klassenzimmer wird eine Schachtel aufgestellt. Im Laufe von zwei bis drei Tagen steckt jeder seinen Fragezettel hinein. Die Klasse wird dann in Gruppen geteilt. Jede Gruppe bespricht eine bis zwei Fragen. Nach fünf Minuten (pro Frage) soll die Gruppe mindestens einen passenden Ratschlag auf den Fragezettel schreiben. Alle Ratschläge werden gesammelt und im Klassenzimmer aufgehängt, bzw. für andere Klassen fotokopiert.

R. Fitness-Kurs. *(in Gruppen zu dritt)* Reine Kopfarbeit führt bekanntlich oft zu Schlaflosigkeit, nervöser Erschöpfung und Konzentrationsschwäche!

Erster Schritt: „TRIMMING 130"

Lesen Sie diese kurze Beschreibung vom Deutschen Sportbund.

Was ist es Ihnen wert, sich in Topform zu fühlen, länger jung zu bleiben, besser mit dem Streß fertig zu werden und bei Arbeit und Freizeit mehr Energiereserv zu haben?

Ist Ihnen das eine ha Stunde jeden zweite Tag wert oder täglicl 10 Minuten?

Trimming 130 kann Il Leistungsfähigkeit u gut ein Drittel erhöh...

Mit der folgenden Anweisung können Sie mit einem Trimmingpartner zusammen den Puls messen.

Pulsmessen, wie geht das?

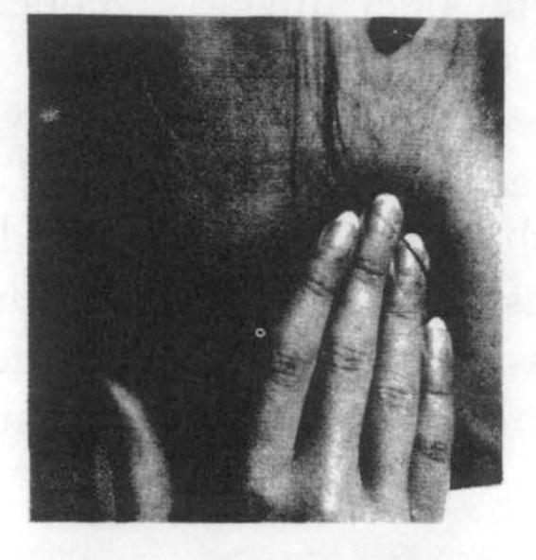

- Uhr mit Sekundenzeiger
- mit drei nebeneinanderliegenden Fingern in der Furche neben dem Kehlkopf Pulsschlag ertasten
- wenn der Sekundenzeiger über eine Zahlenmarkierung geht, mit „0" anfangen zu zählen, also 0...1...2...3...4...
- nach 10 Sekunden stoppen (Beispiel: 22 Pulsschläge)
- Ergebnis mit 6 malnehmen (z.B. 22 x 6 = 132), das entspricht Trimming 130

Nach den folgenden Vorschlägen vom Deutschen Sportbund können Sie nun mit Ihrem Trimmingpartner ein Programm zusammenstellen.

Wählen Sie aus!

Wollen Sie beim Trimming Natur und frische Luft genießen? Dann probieren Sie Radfahren, Jogging oder Bergwandern oder Skilanglaufen. Lieben Sie Geselligkeit in der Freizeit: bitte schön, auch Tanzen und Ballspiele passen zu Trimming. Oder trimmen Sie sich lieber in den eigenen vier Wänden, dann legen Sie flotte Musik zu Aerobic-Gymnastik auf. Hier sind die wichtigsten Trimming-Sportarten (die wir noch um weitere ergänzen könnten).

Pausen machen, Puls messen

- Während der ersten 5 Minuten Trimming erst einmal durch Bewegung warm und locker werden, nicht aus der Puste kommen.
- Nach 5 Minuten kurz unterbrechen und sofort 10 Sekunden lang Puls messen. Liegen Sie bei 21, 22, 23? Tempo gegebenenfalls entsprechend korrigieren.
- Weiter trimmen und nach weiteren 5 Minuten erneut Puls kontrollieren.
- Neben der Pulskontrolle gilt stets, daß Sie sich wohlfühlen. Nie überanstrengen.
- Spielerisch und locker bleiben!

Zweiter Schritt: TURNÜBUNGEN

In Ihrer Gruppe suchen Sie aus den folgenden Anweisungen diejenigen heraus, die zu den Bildern passen.

1. Auf dem Bauch liegen. Arme seitwärts strecken. Arme und Kopf heben, so hoch es geht.
2. Auf dem Bauch liegen. Oberkörper heben und vor dem Kopf in die Hände klatschen.
3. Auf der Stelle laufen.
4. Zehnmal auf einen Stuhl steigen und wieder hinuntersteigen.
5. Auf dem Rücken liegen. Den Kopf und die Schultern anheben und wieder zurückfallen lassen.
6. Füße zusammenstellen. Beugen, bis man die Zehenspitzen berührt. Knie durchdrücken!
7. Auf dem Rücken liegen. Hände auf die Beine legen. Zum Sitz aufrichten.
8. Auf dem Rücken liegen. Hände hinter dem Kopf verschränken und mit den Beinen „radfahren".
9. Aufrecht stehen. Arme senkrecht nach oben gestreckt. Füße auseinander stellen, den Oberkörper nach links und nach rechts beugen.
10. Auf Knien und Händen stehen. Arme beugen und strecken.
11. Auf dem Rücken liegen. Beine vom Boden heben und senkrecht in die Luft strecken.

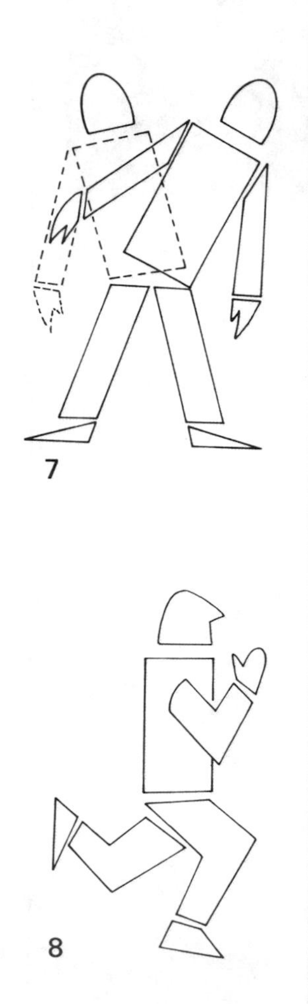

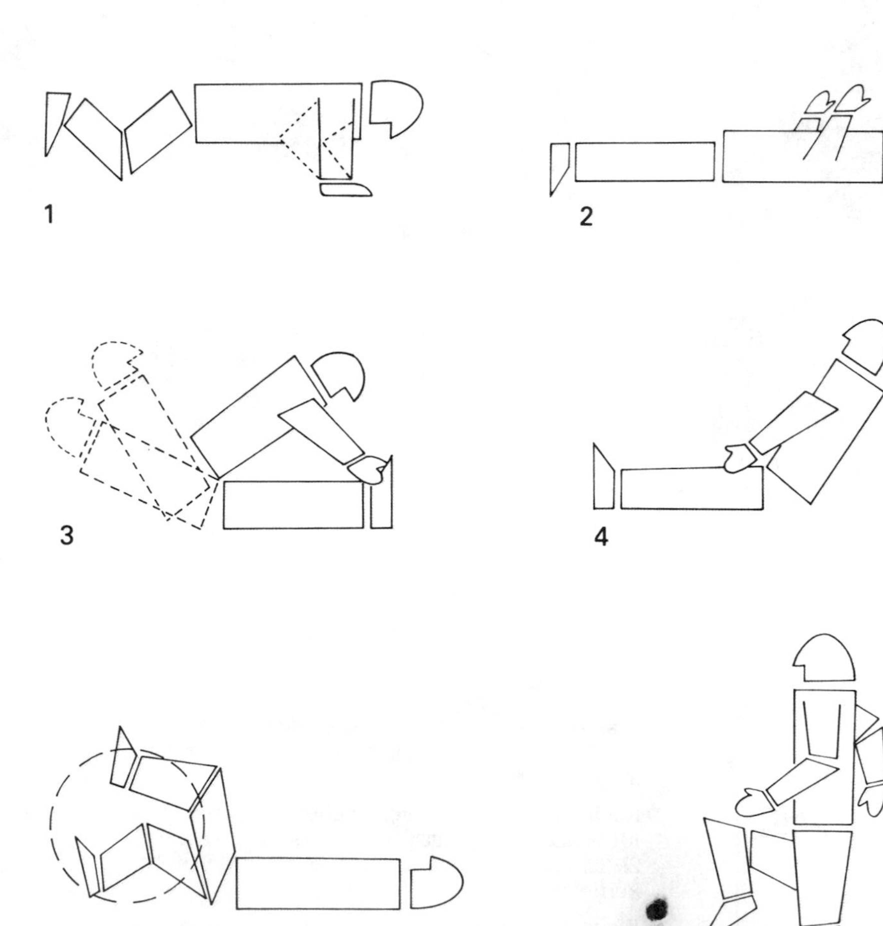

Dritter Schritt: MEINE TURNÜBUNGEN

Stellen Sie schriftlich eine Routine von drei bis vier neuen Übungen zusammen. In der Klasse werden die Zettel eingesammelt. Jede Gruppe zieht wieder einen Zettel aus dem Stapel. Einer von Ihnen gibt nun den anderen mündlich Anweisungen. Machen Sie drei Übungsroutinen durch, so daβ jeder an die Reihe kommt.

memo

Weiter!	Keep going.
Etwas schneller.	A little faster.
Nicht so lahm!	Keep it moving!
Nicht schummeln!	No cheating!
Genau.	Right.
Geradestehen.	Stand up straight.

DAS RECHTE WORT ZUR RECHTEN ZEIT

Wissen Sie, was man in den folgenden Situationen sagen könnte?

S. Im Gespräch mit einem Freund.

1. Ihr Freund bittet Sie um Rat: „Du, mein Geldbeutel ist gestohlen worden. Was soll ich nur tun?" Sie: „______________________________"
2. Eine Freundin möchte seit längerer Zeit abnehmen. Sie möchten ihr Rat geben. Sie: „______________________________"
3. Ein Freund, der einem immer gern Rat gibt, rät Ihnen gerade, nicht so viel Fleisch zu essen. Sie essen aber gern Fleisch.

   Sie: „______________________________"

T. Auf der Straße.

1. Ein Tourist sucht ein nettes Restaurant und bittet Sie um Rat.

   Er: ,,____''

   Sie: ,,____''

   Er (möchte Ihren Rat annehmen): ,,______________________________''

2. Sie kommen gerade aus einem tollen neuen Film und treffen zufällig einen Freund, dem Sie raten wollen, sich diesen Film anzusehen.

   Sie: ,,____''

Vokabeln
die ich aus diesem Kapitel festhalten möchte:

KAPITEL

7

VERLANGEN UND SICH BESCHWEREN

7

„Was wünschen Sie?"

HÖREN UND VERSTEHEN

Wie macht man das auf englisch?

A. You are spending two weeks touring the USA with a friend from Austria. You need to 1. get assistance from passers-by, 2. order food in restaurants, and 3. procure tickets for special events. What typical expressions in English should your friend know to be able to request these services?

1. ______________________________
2. ______________________________
3. ______________________________

What expressions would be helpful for complaining when the services are not completed to one's satisfaction? Indicate whether an expression sounds especially confrontational, and reflect on situations in which a confrontational style would be appropriate.

1. ______________________________
2. ______________________________
3. ______________________________

GESPRÄCHE 1 + 2

B. Hören Sie den Gesprächen auf dem Tonband mehrmals zu, und dann machen Sie die Übungen zu Teil A und Teil B im Buch und die Übung 1 zu Teil C auf dem Tonband. Sie hören, wie man etwas kauft und wie man etwas bestellt.

TEIL A: Was haben sie gesagt?

Wie werden diese Gespräche konstruiert? (*Wann* sagen die Sprecher *was*?) In welcher Reihenfolge hören Sie die folgenden Sätze?

GESPRÄCH 1

____ Guten Morgen.

____ Ja, ich muß mal eben schauen.

____ Also zusammen sind das drei Mark sechzig.

___ Wenn Sie mir bitte mit Filter geben könnten.

___ Gut, gebe ich Ihnen Kleingeld.

___ Bitte schön. Wiedersehen.

___ Ich hätte gern eine *Frankfurter Rundschau.*

___ Vielen Dank.

___ Bitte schön. Gibt's sonst noch was?

___ Ich brauch' zwei Fünfziger.

_11_ Wiedersehen.

GESPRÄCH 2

___ Bitte schön. Haben Sie sich schon Ihren Kuchen ausgesucht?

___ Nein, also ich trinke lieber Tee.

___ So, was darf ich denn heute den Damen bringen?

_9_ Bitte schön, die Damen.

___ Ach, das ist aber schade.

___ Wollen Sie es mit oder ohne Kohlensäure?

___ Ich möchte gern ein Stück Nußtorte.

___ Mit Sahne?

___ Leider haben wir keine mehr da.

TEIL B: Was haben sie getan?

Interpretieren Sie, was die Gesprächspartner bei jedem numerierten Satz getan haben. Verwenden Sie dabei die Verben in der Liste unten.

etwas verlangen
etwas bestellen
einen Wunsch äußern
einen Wunsch erfüllen
nach einem Wunsch fragen

Kunde: *Guten Morgen.*
Verkäuferin: *Guten Morgen.*
Kunde: *Ich hätte gern (1) eine* Frankfurter Rundschau.
Verkäuferin: *Ja, bitte schön (2). Und sonst noch was (3)?*
Kunde: *Äh, ein Päckchen Zigaretten, bitte. Camel.*
Verkäuferin: *Mit oder ohne Filter?*
Kunde: *Wenn Sie mir bitte mit Filter geben könnten (4).*

Kellner: *So, was darf ich denn heute den Damen bringen (5)?*
Renate: *Also, ich hätte gern ein Kännchen Kaffee.*
Kellner: *Und Sie auch?*
Helga: *Nein, also ich trinke lieber Tee. Ich hätte gern einen Tee mit Zitrone.*
Kellner: *Bitte schön (6).*

(1) Der Kunde ______________________
(2) Die Verkäuferin ______________________
(3) Die Verkäuferin ______________________
(4) Der Kunde ______________________
(5) Der Kellner ______________________
(6) Der Kellner ______________________

TEIL C: Was kann man noch sagen?

1. Wie kann man etwas verlangen oder bestellen? *(Übung auf dem Tonband)*

Bringen Sie mir bitte . . .	Please bring me . . .
Wenn Sie mir (eine gute Zigarre) geben könnten.	(If it's possible) could you give me (a good cigar)?
Das wär 's.	That will be all.
Ich hätte gern . . .	I would like to have . . .
Könnten Sie mir bitte . . . bringen?	Could you please bring me . . . ?
Ich möchte gern . . .	I would like . . .
Ich brauche . . .	I need . . .
Ich nehme . . .	I'll take . . .

2. Wie reagiert man auf eine Bestellung? *(Übung mit der Klasse)*

Bitte schön.	Yes, of course.
Sonst noch was?	Something else?
Leider haben wir keine mehr da.	Sorry, there are none left.

3. Wie fragt man nach einem Wunsch? *(Übung mit der Klasse)*

Was darf ich Ihnen heute bringen?	What can I bring you today?
Was darf es sein?	What will it be?
Was wünschen Sie?	What would you like?
Sie möchten? / Sie wünschen?	What would you like?
So, bitte schön?	Yes, please?
Bekommen Sie schon?	Have you been waited on?
Haben Sie sich schon etwas ausgesucht?	Are you ready to order?
Der (Die) Nächste bitte?	Next please? (to customers waiting in line)

GESPRÄCH 3

C. Beim folgenden Gespräch achten Sie darauf, wie eine Einladung konstruiert wird, und ob die Einladung abgelehnt oder akzeptiert wird.

TEIL A: Was haben sie gesagt?

In welcher Reihenfolge hören Sie die folgenden Sätze?

___ Das klingt eigentlich gut.

___ Ich zahle für mich selber.

___ . . . wenn du Lust hast, könnten wir noch ins Kino gehen.

___ Hast du etwas vor?

___ Ich möchte dich einladen.

___ Ah, eigentlich nicht.

___ Könnten wir dann vielleicht zusammen in die Stadt gehen . . . ?

TEIL B: Was haben sie getan?

Interpretieren Sie, was die Gesprächspartner bei jedem numerierten Satz getan haben. Verwenden Sie dabei die Verben in der Liste unten.

eine Einladung aussprechen
eine Einladung annehmen oder höflich ablehnen

Helga: *Ja gut, aber danach? Könnten wir dann vielleicht zusammen (1) in die Stadt gehen, vielleicht 'nen Einkaufsbummel machen?*
Renate: *Das klingt eigentlich gut (2). Ich war schon lange nicht mehr in der Stadt.*
Helga: *Oh, ja toll. Dann gehen wir zusammen in die Stadt und anschließend, wenn du Lust hast, könnten wir noch ins Kino gehen. Ich lade dich dazu ein.*
Renate: *Hör mal, Helga, das ist alles toll, aber (3) die Einladung ist doch nicht nötig.*

(1) Helga ______________________________

(2) Renate ______________________________

(3) Renate ______________________________

TEIL C: Was kann man noch sagen?

1. Wie spricht man eine Einladung aus? *(Übung auf dem Tonband)*

Du bist herzlich eingeladen.	You are cordially invited.
Du bist (heute) mein Gast.	You are my guest (today).
Das geht heute auf meine Kosten.	It's on me today.
Ich lade dich zum . . . ein.	I am inviting you to . . .
Wenn du Lust hast, könnten wir . . .	If you'd like, we could . . .

2. Wie akzeptiert man eine Einladung oder lehnt sie ab? *(Übung mit der Klasse)*

Oh, ja toll!	Oh, fabulous!
Das klingt gut.	That sounds great.
Ja, gerne!	Yes, I'd love to!
Wie nett von dir!	How nice of you!
Ich bedanke mich.	Thank you kindly.
Vielen Dank für die Einladung, aber . . .	Thanks for the invitation, but . . .
Es tut mir furchtbar leid.	I'm very sorry.
Das wäre schon schön, aber leider . . .	It would be wonderful, but . . .
Ein anderes Mal vielleicht.	Another time perhaps.

GOLDEN
TWENTIES
SKI SAFARI

ZUR

GOLDEN
TWENTIES
SKI SAFARI

IN ST. ANTON/ARLBERG
AM OSTERSONNTAG, 26. MÄRZ 1989
LADEN WIR

Uli

HERZLICH EIN

AUF EUER KOMMEN FREUT SICH
DAS NIMMERMÜDE ORGANISATIONSKOMITEE

◇

DIE SAFARI-VIP-KARTEN
(GUT AUFHEBEN!) LIEGEN BEI.

GESPRÄCH 4

D. In diesem Gespräch ist der Ton ganz anders. Eine Studentin will etwas von ihrem Freund, aber es gibt dabei ein Problem.

TEIL A: Was haben sie gesagt?

In welcher Reihenfolge hören Sie die folgenden Sätze?

___ Ich versprech's.

___ Das finde ich aber wirklich nicht gut.

___ Ich muß dir gestehen, im Trubel heute habe ich das schlicht vergessen.

___ Ich bitte dich formal um Entschuldigung.

___ Das ist zwar richtig, aber es kann ja schon mal passieren, nicht?

___ He, sag mal, . . .

TEIL B: Was haben sie getan?

Interpretieren Sie, was die Gesprächspartner bei jedem numerierten Satz getan haben. Verwenden Sie dabei die Verben in der Liste unten.

sich beschweren
auf eine Beschwerde reagieren
sich entschuldigen
zustimmen

Helga: *He, sag mal (1), wo bleibt denn mein Fahrrad?*
Jörg: *Du, ich muß dir gestehen (2), im Trubel heute habe ich das schlicht vergessen.*
Helga: *Äh, das finde ich aber wirklich nicht gut (3). Du hast doch gesagt, du brauchst es nur für einen Tag.*
Jörg: *Das ist zwar richtig, aber es kann ja schon mal passieren, nicht?*
Helga: *Das stimmt (4), aber ich brauch das unbedingt heute nachmittag.*
Jörg: *Also, es tut mir furchtbar leid (5) und ich bitte dich formal um Entschuldigung.*

(1) Helga ______________________________

(2) Jörg ______________________________

(3) Helga ______________________________

(4) Helga ______________________________

(5) Jörg ______________________________

TEIL C: Was kann man noch sagen?

1. Wie kann man sich beschweren? *(Übung auf dem Tonband)*

Entschuldige bitte, aber . . .	Excuse me, but . . .
Es geht einfach nicht, daß . . .	There's just no way that . . .
Das gibt's doch gar nicht, daß . . .	It's impossible that . . .
Hör mal!	Hey, listen!
Moment mal!	Just a minute!
Das finde ich aber wirklich nicht gut.	That's just not right.
Es tut mir leid, aber . . .	I'm sorry, but . . .

2. Wie kann man sich entschuldigen oder auf eine Beschwerde reagieren? *(Übung mit der Klasse)*

Das tut mir furchtbar leid.	I am very sorry about that.
Ich bitte um Entschuldigung.	Please excuse me.
Da hast du (vollkommen) recht.	You are absolutely right.
Pardon, du mußt verstehen, . . .	Pardon me, you've got to understand . . .
Bedaure, aber . . .	I do regret this, but . . .
Du, ich muß dir gestehen, . . .	I have to admit (to you)
Das kann schon mal passieren, nicht?	That happens, doesn't it?
Das kommt schon mal vor.	That does happen.
Ich kann leider nichts dafür.	I really can't take the blame.
Was soll ich sagen?	What can I say?
Nun, das geht zu weit!	That's going too far!

REDEN

E. Wie soll ich fragen? *(in Gruppen zu dritt)* Sie wollen jemand um etwas bitten, oder etwas bestellen oder verlangen, aber wichtig dabei ist, darauf zu achten, mit wem man spricht. Ist die Person jünger oder älter, ein Vorgesetzter oder ein Mitarbeiter, ein Fremder oder ein Bekannter? Und was ist die Situation? Wie ist die Stimmung? Tauschen Sie die Rollen A,B,C.

z.B.: **Person C:** *(erzählt)* ,,Ihr sitzt im Wohnzimmer und trinkt zusammen Kaffee. A bittet B, das Licht anzumachen."
Person A: ,,Du, könntest du bitte das Licht neben dir anmachen, es wird schon etwas dunkel, nicht?"
Person B: ,,Ja, selbstverständlich."

Person C: (wählen Sie irgendeine Kombination und beschreiben Sie die Situation.)
A bittet B:

im Zugabteil	das Licht anzumachen
auf der Straße	die Tür zu schließen
im Wohnzimmer	einen Brief zu lesen
im Café	ihm/ihr den Weg zu zeigen
im Treppenhaus	eine Schreibmaschine auszuleihen
im Auto	ihm/ihr ein Glas Wein zu geben
	das Zimmer aufzuräumen *usw.*

Person A	**Person B**
eine Schwester	der Bruder
eine Mutter	der Sohn
ein WG-Mitbewohner	die Hauswirtin
ein Gast	die Gastgeberin
ein Dozent	der Abteilungssekretär
eine Kundin	die Verkäuferin

F. Hättest du Lust . . . ? *(Gruppen von 5–6 Personen)*

ABLEHNEN

Es tut mir leid.	I am sorry.
Das geht leider nicht.	Unfortunately that's not possible.
An dem Tag kann ich nicht so gut.	That's not such a good day for me.
Ich würde gern, aber . . .	I'd love to, but . . .

ZUSAGEN

Ja, das machen wir.	Yes, let's do that.
Aber selbstverständlich.	Of course!
Ja, auf jeden Fall.	Yes, absolutely!
Paßt mir gut/ausgezeichnet!	Suits me fine!
Ja, ist gut.	OK.
Ja, gern.	Yes, gladly.
Na gut.	Well, OK.
Na ja, meinetwegen.	OK, why not?

GEGENVORSCHLAG MACHEN

Naja, und . . .	Yeah, and . . .
Ich hätte einen anderen Vorschlag.	(No but) I have another idea.
Könntest du vielleicht . . .	Couldn't you . . .
Das wäre schön, aber . . .	That would be nice, but . . .
Ja, vielleicht. Anderseits . . .	Maybe. On the other hand . . .

Wer anfangen will, wählt eine der folgenden Situationen und lädt einen anderen dazu ein.

1. Sie backen heute abend eine Pizza.
2. Sie schauen sich heute abend ein Video zu Hause an.
3. Sie wollen Ihre Prüfung feiern.
4. Sie fahren zum Einkaufen in die Stadt.
5. *(weitere Ideen)*

Der Eingeladene soll mit einem passenden Redemittel auf die Einladung mit einer Zusage reagieren oder eine Begründung für seine/ihre Ablehnung geben. Dann darf diese Person die nächste Einladung aussprechen.

G. Tut mir leid! *(Gruppen von 6–10 Personen)*

SICH ENTSCHULDIGEN

Entschuldigung, aber . . .	Excuse me, but . . .
Entschuldigen Sie vielmals.	Please excuse me.
Dafür kann ich leider nichts, weil . . .	There is nothing I can do about it because . . .
Ja, tut mir wahnsinnig/wirklich furchtbar/schrecklich/ unheimlich leid . . .	I am awfully sorry.
Es ist mir entsetzlich/ schrecklich/furchtbar peinlich. . . .	This is terribly embarrassing.
Das mache ich nie wieder.	I'll never do that again.
Bitte, sei mir nicht böse.	Please don't be mad at me.
Es soll nie wieder geschehen.	It won't happen again.
Schrei mich nicht so an, es ist nicht meine Schuld!	Don't yell at me; it's not my fault.

AUF EINE ENTSCHULDIGUNG REAGIEREN

Schon gut!	That's okay.
Ist nicht so schlimm!	It's nothing.
Ach so, dann ist es gut!	Okay, then never mind.
Mach dir nichts daraus!	Don't worry about it.

Es ist oft schwer, schnell auf eine Beschwerde zu reagieren. In dem folgenden Spiel sprechen Sie immer wieder mit einem anderen Gesprächspartner. Einer steht in der Mitte, die anderen sitzen in einem Kreis. Der Stehende beschwert sich über eine der folgenden Situationen und spricht einen anderen an: (z.B. „Du bist zu spät in's Kino gekommen.")

1. Jemand ist zu spät zur Unterrichtsstunde / zu einer Verabredung / zu einem Arzttermin gekommen.
2. Jemand hat eine Einladung / eine Aufgabe / ein Treffen vergessen.
3. Jemand hat die Hausaufgaben / ein Referat / einen Brief / eine Einkaufsliste nicht geschrieben.
4. Jemand hat vergessen, die Theaterkarten / die Wäsche von der Wäscherei / Tante Emilie vom Bahnhof / das Auto von der Werkstatt abzuholen.

Der ,,Angeklagte" muβ sich mit einer entsprechenden Ausrede entschuldigen. Der in der Mitte nimmt die Entschuldigung entgegen und tauscht den Platz mit dem Sitzenden, der jetzt aufsteht und sich bei einem anderen beschwert.

REDEN MITREDEN

H. Wortschatzerweiterung. *(Vorbereitung auf I)* Als Gast oder Kunde kann man in Situationen geraten, in denen man sich über die Situation oder über die Bedienung beschweren will. Schreiben Sie gemeinsam mit einem Partner Wörter auf, die an den folgenden Orten nützlich wären. Sie können ein Wörterbuch benutzen.

AUF DEM POSTAMT:

Substantive	Adjektive	Adverbien	Verben
der Umschlag	leicht	mindestens	kleben
das Päckchen	kaputt	vorgestern	aufmachen
______	______	______	______
______	______	______	______

IN DER REPARATURWERKSTATT:

Substantive	Adjektive	Adverbien	Verben
das Öl	heiβ	zu viel	verbrauchen
der Scheinwerfer	richtig	links	einstellen
______	______	______	______
______	______	______	______

IM CAFÉ:

Substantive	Adjektive	Adverbien	Verben
die Rechnung	richtig	nur	überprüfen
die Schlagsahne	sauer	ziemlich	schmecken
______	______	______	______
______	______	______	______

Vergleichen Sie Ihre Liste mit der Liste einer anderen Gruppe. Notieren Sie sich neue Vokabeln.

I. Da stimmt etwas nicht! In den folgenden Situationen ist A unzufrieden und reklamiert oder beschwert sich bei B. Benutzen Sie die Vokabeln, die Sie in der Wortschatzübung zusammengetragen haben, und sprechen Sie mit einem Partner. Sie haben höchstens drei Minuten Zeit für jedes Rollenspiel: in dieser Zeit soll B versuchen, A zufriedenzustellen, indem er/sie sich mit passenden Redemitteln entschuldigt.

Auf der Post:

Der Kunde hat die falschen Briefmarken bekommen. Er bleibt ruhig und höflich.

z.B.: ,,Da möchte ich mal fragen: . . . ''
,,Könnten Sie mir das umtauschen?''
,,Da ist etwas nicht in Ordnung.''

In der Autowerkstatt:

Der Kunde beschwert sich über sein Auto, das gestern repariert wurde, aber immer noch nicht in Ordnung ist. Der Kunde regt sich auf.

z.B.: ,,Moment, mal!''
,,Schauen Sie mal!''
,,Ist doch ganz klar, daß . . . ''

Im Café:

Der Kunde regt sich über die Bedienung auf und wird sogar unhöflich.

z.B.: ,,Mann!''
,,So ein Käse!/So ein Quatsch!''
,,So eine Unverschämtheit!''
,,Das ist eine Frechheit!''
,,Allerhand!''
,,Das ist die Höhe!''
,,Hören Sie mal!''
,,Das stimmt überhaupt nicht!''

J. Wortschatzerweiterung. *(Vorbereitung auf K,L)* Tragen Sie englische Vokabeln zu der angegebenen Menge ein. Schreiben Sie mit Hilfe eines Wörterbuches den entsprechenden deutschen Ausdruck auf. Bilden Sie Gruppen und vergleichen Sie Ihre Listen. Gibt es weitere Mengenangaben, die Sie gern lernen möchten? Schlagen Sie sie nach, schreiben Sie sie auf und besprechen Sie sie mit der Klasse.

In der Bäckerei:

half a loaf of ____________ = ______________________________

3 pieces of ____________ = ______________________________

1 dozen ____________ = ______________________________

In der Metzgerei:

a half pound of ____________ = ______________________________

quarter pound of ____________ = ______________________________

250 grams of ____________ = ______________________________

a can of ____________ = ______________________________

a jar of ____________ = ______________________________

Am Zeitungskiosk:

a box of ____________ = ______________________________

a bag of ____________ = ______________________________

a bar of ____________ = ______________________________

Zusätzliche Mengenangaben:

____________________ = ______________________________

____________________ = ______________________________

____________________ = ______________________________

____________________ = ______________________________

K. Das ist mir zu teuer! *(alle zusammen)*

Neun Ladeninhaber verteilen sich im Klassenzimmer. Jeder bekommt ein Geschäftsinventar mit einer Liste der Waren und Preise. Die restlichen Studenten sind Kunden und bekommen jeder einen Einkaufszettel. Bei diesen Gesprächen benutzen Sie die Mengenangaben auf Seite 135 und die Redemittel auf Seite 139.

Als Kunde/Kundin versuchen Sie, die Waren auf Ihrem Zettel möglichst preiswert zu kaufen. Gehen Sie von Geschäft zu Geschäft und erkundigen Sie sich:

- ob das Geschäft die Ware hat.
- was sie kostet.

Wenn Sie wissen, wo Sie die Ware am billigsten bekommen, sagen Sie dem Verkäufer, wieviel Sie möchten.

Als Ladeninhaber geben Sie dem Kunden Auskunft über die Waren, aber nur wenn er seinen Kaufwunsch mit einem passenden Redemittel äußert. Streichen Sie die Ware aus, wenn sie gekauft worden ist. Wenn viele Kunden auf einmal zu Ihnen kommen, müssen sie Schlange stehen! (Spielzeit: etwa 15 Minuten; mehrmals wiederholen bis jeder beide Rollen gespielt hat.)

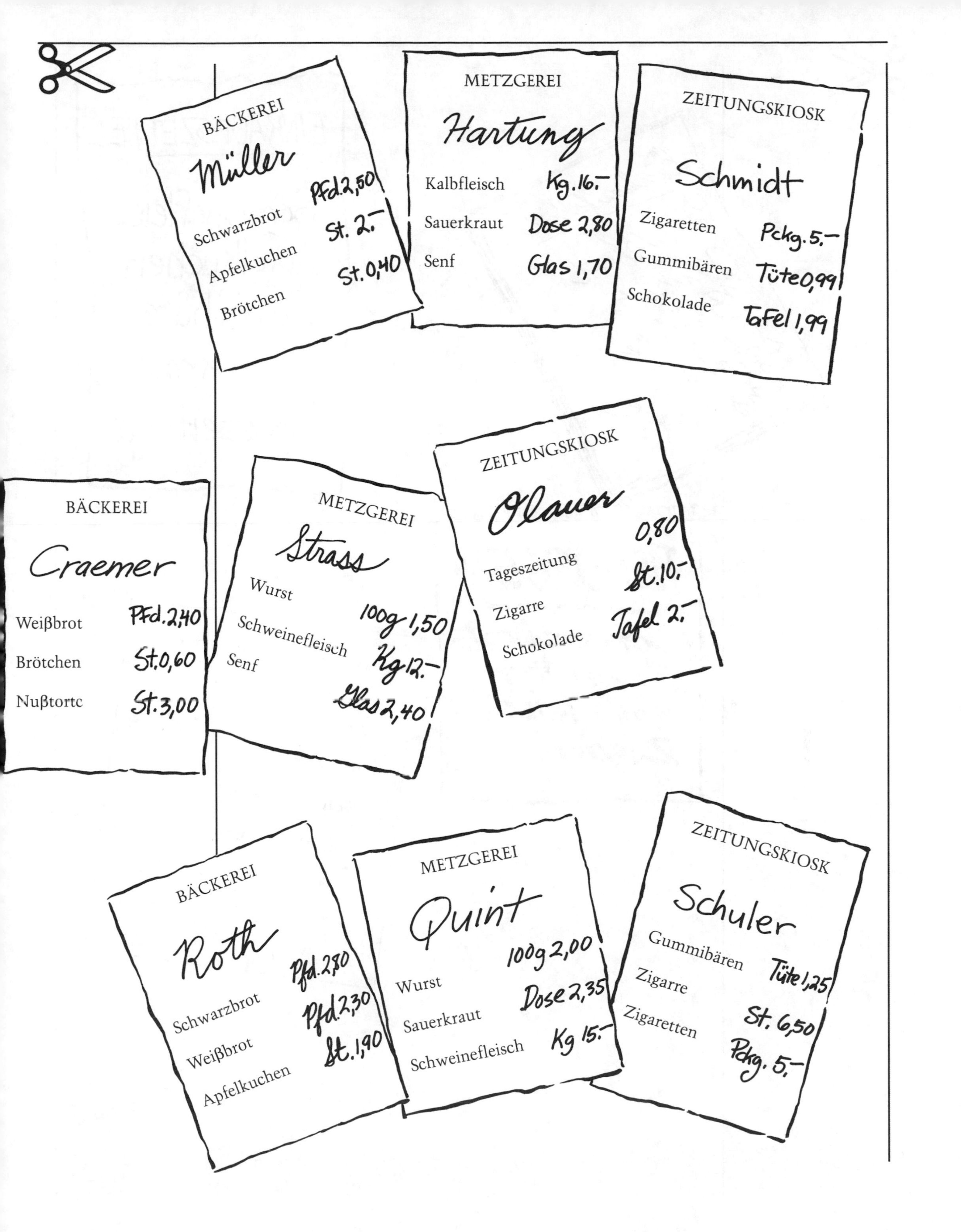
BÄCKEREI
Müller
Schwarzbrot Pfd. 2,50
Apfelkuchen St. 2.–
Brötchen St. 0,40
METZGEREI
Hartung
Kalbfleisch Kg. 16.–
Sauerkraut Dose 2,80
Senf Glas 1,70
ZEITUNGSKIOSK
Schmidt
Zigaretten Pckg. 5.–
Gummibären Tüte 0,99
Schokolade Tafel 1,99
BÄCKEREI
Craemer
Weißbrot Pfd. 2,40
Brötchen St. 0,60
Nußtortc St. 3,00
METZGEREI
Strass
Wurst 100g 1,50
Schweinefleisch Kg 12.–
Senf Glas 2,40
ZEITUNGSKIOSK
Olauer
Tageszeitung 0,80
Zigarre St. 10.–
Schokolade Tafel 2.–
BÄCKEREI
Roth
Schwarzbrot Pfd. 2,80
Weißbrot Pfd. 2,30
Apfelkuchen St. 1,90
METZGEREI
Quint
Wurst 100g 2,00
Sauerkraut Dose 2,35
Schweinefleisch Kg 15.–
ZEITUNGSKIOSK
Schuler
Gummibären Tüte 1,25
Zigarre St. 6,50
Zigaretten Pckg. 5.–

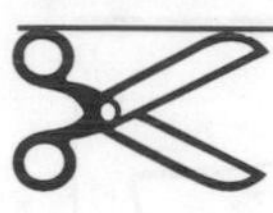

EINKAUFSZETTEL

Schweinefleisch
Apfelkuchen
Gummibären
Sauerkraut
Tageszeitung

BESORGEN!

Schwarzbrot
Zigaretten
Kalbfleisch
Zigarre

NICHT VERGESSEN !!!

Apfelkuchen
Nußtorte
Schwarzbrot
Tageszeitung

der Ladeninhaber:

Einen Moment, bitte!	Please, just a minute.
Also bitte, einer nach dem anderen!	One at a time, please.
Sind Sie jetzt dran?	Are you next?
Ja, bitte schön?	Yes, please?
Was darf es sein?	May I help you?
Werden Sie schon bedient?	Are you being helped?
Bekommen Sie schon?	Have you been waited on?
Sonst noch einen Wunsch?	Anything else?
Wäre das alles?/Das wär's?	Will that be all?
Kommt noch was dazu?	Do you need anything else?
Der/die Nächste, bitte.	Next, please.

der Kunde:

Ich brauche . . .	I'm looking for/I need . . .
Ich möchte mich nur mal umschauen.	I'm just looking around.
Dann nehme ich . . .	Then I'd like . . .
Ich möchte etwas fragen.	I have a question.
Hätten Sie zufällig . . . ?	Do you happen to have . . . ?
Hätten Sie vielleicht mal . . . ?	Would you have . . . ?
Das muß ich mir noch überlegen.	I'll have to think about that.
Haben/Führen Sie . . . ?	Do you carry . . . ?
Wieviel kostet bei Ihnen . . . ?	How much do you charge for . . . ?
Danke, das wär's.	That's all. Thanks.

REDEN MITREDEN DAZWISCHENREDEN

L. Rollenspiele. *(in Gruppen zu viert)* Zwei von Ihnen beschweren sich bei einem Dritten. Der Vierte soll beobachten und notieren, wie die zwei sich beschweren und wie der andere darauf reagiert: er/sie kann sich entschuldigen, sich rechtfertigen, oder versuchen, einen Kompromiß zu schließen. Dann wechseln Sie die Rollen. Spielen Sie die Situationen auf der nächsten Seite.

1. In Ihrer Wohnung ist es meistens zu warm. Ihr Hauswirt kontrolliert die Heizung von seiner Wohnung aus, und Sie müssen die Heizungskosten extra bezahlen!
2. Der Dachshund Ihrer Hauswirtin bellt immer laut, wenn Sie oder Ihre Mitbewohnerin nach Hause kommen. Gestern ist er Ihnen bis zur Ecke nachgelaufen, doch ist Gott sei Dank nichts passiert!
3. Ihr Mieter, ein schwerhöriger alter Mann, hat ständig den Fernseher zu laut aufgedreht. Es stört Sie und auch Ihre Frau, doch möchten Sie diesen Mieter im Hause behalten . . .

Vergleichen Sie mit den anderen Gruppen zum Schluß, wie die Gespräche bei jedem Rollenspiel gelaufen sind.

M. Bestellung per Telefon. *(in Gruppen von zwei Personen)* Die Kunden: Sie und Ihr Partner haben jahrelang Geld für neue Möbel gespart. Nun möchten Sie Ihr Wohnstudio neu einrichten. Sie haben 1000 DM gespart, aber Sie wollen natürlich möglichst wenig Geld ausgeben. Die Verkäufer: Sie versuchen, Kunden immer zufriedenzustellen, aber leider sind im Moment nicht alle Möbel vorhanden.

Gruppe A: die Kunden

Suchen Sie aus, was Sie gern von der Möbelanzeige bestellen möchten. Rufen Sie zusammen beim Möbelhaus BUNDESALLEE 36 (Gruppe B) an, und bestellen Sie telefonisch neue Möbel für Ihr Wohnstudio.

Gruppe B: die Verkäufer

Sie arbeiten beim Möbelhaus BUNDESALLEE 36. Sie machen gerade eine Inventur, um zu sehen, was noch auf Lager ist. Stellen Sie eine Liste von den Möbelstücken zusammen, die noch vorhanden sind. Wenn die Kunden (Gruppe A) anrufen, soll einer mit ihnen sprechen, während der andere die Liste überprüft.

N. Beschwerdebrief. Oft kann man sich nicht direkt beschweren, sondern muß es brieflich tun. (Lesen Sie etwa den Beschwerdebrief der Rentnerin in Kapitel 10.) Denken Sie sich einen Beschwerdegrund aus und einen Adressaten, an den der Beschwerdebrief gerichtet werden soll. Sie können einen der folgenden Vorschläge übernehmen oder selbst einen Grund erfinden.

Grund: Lärm von der Nachbarkneipe (siehe dazu den Artikel über die neue Lärmverordnung in Berlin)
Adressat: der Umweltsenator

Grund: Luftverschmutzung steigt.
Adressat: Bürgermeister der Stadt

Grund: Leistungsdruck in den Schulen ist zu stark.
Adressat: Schuldirektor

Grund: Zimmerreinigung ist schlampig.
Adressat: Leiter des Studentenheims

Grund: Mangelndes Angebot an vegetarischen Speisen
Adressat: Direktor der Mensa

Schreiben Sie alles auf einen Zettel, legen Sie die Zettel gefaltet auf einen Stapel in der Klasse. Nachdem alle Zettel gut gemischt sind, ziehen Sie einen (hoffentlich nicht den eigenen) heraus. Nun schreiben Sie einen Brief, in dem Sie sich bei dem Adressaten über das Problem auf dem Zettel beschweren.

Lamelle Lack oder Kiefer 1.098,-
Kiefer Glatt 740,-
Anbauregal 1998,-
149,-
790,-
Contura Der Hölzer Möbelkiste
BUNDES ALLEE 36
Die kreativen Wohnstudios
Bundesallee 36, 1000 Berlin 31, Telefon 8619090
245,-
298,-
198,-
158,-
179,-
ab 998,-
Ecke ab 359,-
Sessel ab 228,-
Nacht tisch 50,-
ohne Einlagen 1.090,-
ab 673,-
990,-
Freischwinger
ab 119,-
277,-
351,-
94,-
289,-
ab 782,-
590,-
Schlafsofa ab 1175,-
99,-
Ausziehtisch Kiefer, massiv 598,-
ohne Einlagen 2.172,-
C Löhlein & Schonert
Alle Preise sind Abholpreise.

Am 1. August 1984 ist in Berlin eine neue Verordnung zur Bekämpfung des Lärms (Lärmverordnung) in Kraft getreten. Ihr Ziel ist es, die Bevölkerung vor vermeidbarem störendem Lärm während der Nachtzeit (22–7 Uhr), der Abendzeit an Werktagen (20–22 Uhr) bzw. an Sonn- und Feiertagen zu schützen. Dies gilt sowohl für Lärm durch menschliches Verhalten (z. B. Schreien und Poltern), als auch für Lärm durch den Betrieb von Anlagen (Fabriken, Werksanlagen sowie Maschinen und Geräte).

bzw. tagsüber an Sonn- und Feiertagen ausgeht, soweit er zur Durchführung des Übungs- und Wettkampfbetriebs unvermeidbar und für die Anwohner nicht unerträglich ist.

Auch für dringende gewerbliche Arbeiten oder Bauarbeiten sowie für die oben schon erwähnten öffentlichen Vergnügungsveranstaltungen können, unter bestimmten Voraussetzungen, Ausnahmen gemacht werden, so daß vom Lärmschutz für die Bürger wohl nicht mehr allzuviel übrigbleiben wird. Stört Sie zum Beispiel der Baulärm

Der Schutz der Lärmverordnung erstreckt sich darüber hinaus auch auf die Zeit von 7–20 Uhr, wenn sogenannte „vermeidbare Geräusche", wie z. B. durch die Benutzung von Radio, Fernsehen, Musikinstrumenten und durch Motorsport- und öffentliche Vergnügungsveranstaltungen verursacht werden.

Für allen sonstigen „verhaltensbedingten" Lärm während der Tageszeit ist nicht die Lärmverordnung, sondern das Ordnungswidrigkeitengesetz (§ 117) anzuwenden. Auch für Fluglärm und Krach, der durch Aktivitäten der Alliierten in Berlin hervorgerufen wird, gilt die Lärmverordnung nicht.

Bestimmte Maßnahmen (wie z. B. Schnee- und Eisglättebeseitigung) sind allerdings wie bisher von den Vorschriften der Verordnung ausgenommen. Dies gilt jetzt auch für Lärm, der von Sportanlagen während der Abendzeit an Werktagen

bei Straßenarbeiten morgens um 6 Uhr? Und wie ist es bei Schanklärm nachts um drei aus der Kneipe im Erdgeschoß? Oder was ist bei Hundegebell aus der darüberliegenden Wohnung?

Wer Antwort auf diese Fragen haben will und wer mehr zum Thema Lärm wissen möchte, kann die Broschüre **„Wer leise lebt – lebt besser"** beim Senator für Stadtentwicklung und Umweltschutz, Referat Presse- und Öffentlichkeitsarbeit, Lindenstr. 20–25, Berlin 61 anfordern. In ihr ist der Wortlaut der neuen Lärmverordnung neben Auszügen aus anderen wichtigen Lärmschutzvorschriften abgedruckt. Neben verschiedenen Beispielen für Lärmbelästigung erfährt man auch, an wen man sich in solch einem Fall zu wenden hat.

Wer telefonisch Auskünfte einholen will, wähle die Nummer des **Umweltschutztelefons** beim Umweltsenator: **Tel. 25 86-25 25**

MW

memo

Ich möchte mich mit einer Beschwerde an Sie wenden.	I would like to address my complaint to you.
Ich möchte mich über Folgendes beschweren:	I would like to complain about the following:
Ich finde es allerhand, daß . . .	It is incredible that . . .
Grundsätzlich bin ich der Meinung, daß . . .	I am basically of the opinion, that . . .
Wer kontrolliert . . . ?	Who is in charge of . . . ?
Wer überprüft . . . ?	Who checks out . . . ?
Das darf nicht so weitergehen!	This really cannot go on like this!
Wenn (das/ . . .) nicht bald aufhört, dann . . .	If (this/ . . .) doesn't stop soon, then . . .
Ich bitte Sie, einzugreifen.	I request your intervention.

O. Antwortbrief. *(Fortsetzung von N.)* Die Briefe von allen Studenten werden gesammelt und gemischt. Nehmen Sie einen Brief (nicht den eigenen) und schreiben Sie eine Antwort darauf.

memo

Ich bedaure sehr, daß . . .	I truly regret that . . .
Es ist bedauerlich, daß . . .	It is regretful that . . .
Ich bin ganz Ihrer Meinung, daß . . .	I am in complete agreement with you that . . .
Sie haben vollkommen recht, . . .	You are completely right . . .
Ganz im Gegenteil!	Just the contrary!
Ich bin nicht der Meinung, daß . . .	I am not of the opinion that . . .
Sie irren sich, wenn Sie meinen, daß . . .	You are mistaken if you think that . . .
Ich stehe weiterhin zu Ihren Diensten.	I continue to be at your service.

Wenn Ihr Antwortbrief fertig ist, hängen Sie ihn in Ihrem Klassenzimmer an die Wand. So können alle lesen, welche Beschwerden eingereicht wurden, und wie man darauf geantwortet hat.

P. Beschwerdekasten. *(in Gruppen zu fünft)*

memo

An deiner Stelle würde ich . . .	If I were you I would . . .
Wie wär's, wenn . . .	How would it be if you . . .
Ich meine, wir könnten . . .	I think we could . . .
Vielleicht sollten wir . . .	Perhaps we should . . .
Ich schlage vor, wir . . .	I suggest that we . . .
Warum . . . nicht?	Why not . . . ?
Ich weiß wirklich keinen Rat!	I really have no advice!
Pech!	Too bad!

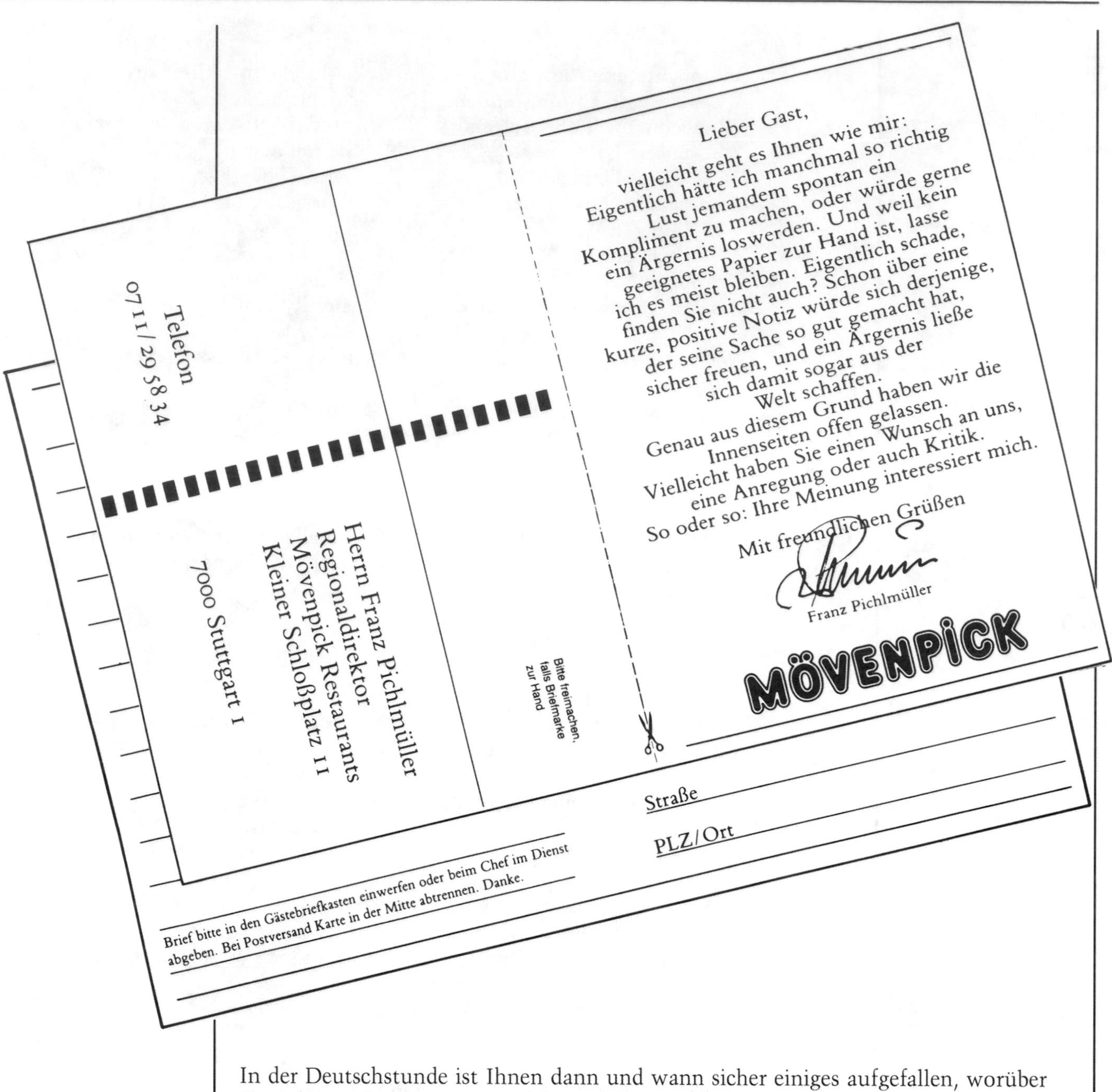

Lieber Gast,

vielleicht geht es Ihnen wie mir:
Eigentlich hätte ich manchmal so richtig
Lust jemandem spontan ein
Kompliment zu machen, oder würde gerne
ein Ärgernis loswerden. Und weil kein
geeignetes Papier zur Hand ist, lasse
ich es meist bleiben. Eigentlich schade,
finden Sie nicht auch? Schon über eine
kurze, positive Notiz würde sich derjenige,
der seine Sache so gut gemacht hat,
sicher freuen, und ein Ärgernis ließe
sich damit sogar aus der
Welt schaffen.

Genau aus diesem Grund haben wir die
Innenseiten offen gelassen.
Vielleicht haben Sie einen Wunsch an uns,
eine Anregung oder auch Kritik.
So oder so: Ihre Meinung interessiert mich.

Mit freundlichen Grüßen

Franz Pichlmüller

MÖVENPICK

Telefon
0711/29 58 34

Herrn Franz Pichlmüller
Regionaldirektor
Mövenpick Restaurants
Kleiner Schloßplatz 11

7000 Stuttgart 1

Bitte freimachen, falls Briefmarke zur Hand

Straße

PLZ/Ort

Brief bitte in den Gästebriefkasten einwerfen oder beim Chef im Dienst abgeben. Bei Postversand Karte in der Mitte abtrennen. Danke.

In der Deutschstunde ist Ihnen dann und wann sicher einiges aufgefallen, worüber Sie sich gern beschweren möchten. Stellen Sie einen Kasten neben die Tür. Im Lauf der Woche schreiben Sie auf einen Zettel, was Sie kritisieren oder ändern möchten. Werfen Sie ihn in den Kasten (z.B. „Die Studenten sitzen zu weit auseinander"; oder „Um neun Uhr morgens habe ich keine Energie!"). Der Zettel bleibt am besten anonym.

Gruppen von fünf nehmen jeweils fünf Zettel aus dem Kasten und lesen sie durch. Jede Gruppe schreibt eine kurze Antwort auf jeden Zettel und macht einen Vorschlag oder eine weitere Bemerkung. Die Zettel mit den Antworten werden an die Wand gehängt.

Q. Klassenbeobachtung. Beobachten Sie während des normalen Deutschunterrichts, wie oft Studenten das Wort ergreifen, um etwas zu verlangen, um sich zu entschuldigen oder zu beschweren. Wählen Sie eine der folgenden Möglichkeiten und machen Sie einen Strich (/) jedesmal, wenn ein Student oder Sie selbst sich so äußern.

Beobachtung der Klasse: ______________________ Datum: ______________________

memomemo

EINEN WUNSCH ÄUSSERN:

Ich hätte eine Frage. ____________
Ich möchte etwas fragen. ____________
Ich möchte etwas sagen. ____________
Würden Sie das bitte wiederholen? ____________
Ich habe nicht verstanden, . . . ____________
Das ist mir nicht ganz klar. ____________
Ich habe dich/Sie eben nicht gehört. ____________
Dürfte ich/könnte ich . . . ? ____________

SICH ENTSCHULDIGEN:

Entschuldigen Sie bitte vielmals, aber . . . ____________
Es tut mir leid, aber . . . ____________
Leider habe ich . . . ____________
Oh Verzeihung! Entschuldigung! ____________

SICH BESCHWEREN:

Das finde ich eigentlich nicht gut. ____________
Verzeihen Sie, aber (wo bleiben unsere . . .)? ____________
Ich verstehe nicht, warum wir (nicht) . . . ____________
Tja, wie wär's, wenn wir . . . ? ____________
Könnten wir nicht . . . ? ____________
Ich fände es besser, wenn wir . . . ____________

DAS RECHTE WORT ZUR RECHTEN ZEIT

Wissen Sie, was man in den folgenden Situationen sagen könnte?

R. Im Gespräch mit einem Freund.

1. Sie haben ganz vergessen, daβ Sie zu einer Party eingeladen waren. Sie rufen am nächsten Tag an. Was sagen Sie, um sich sehr höflich zu entschuldigen?

   ,,____''

2. Sie haben Ihrem Freund Ihr Deutschbuch geliehen. Er gibt es Ihnen mit Kaffeeflecken zurück. Er sagt: ,,Du, es tut mir furchtbar leid.''

   Sie: ,,____''

S. In der Klasse.

1. Sie kommen zu spät zum Unterricht. Was sagen Sie?

   ,,____''

2. Der Lehrer kommt zu spät in die Klasse und sagt: ,,Entschuldigen Sie, daβ ich so spät komme.''

   Sie: ,,____''

T. Im Schuhgeschäft.

1. Was sagt der Verkäufer, wenn Sie den Laden betreten?

   ,,____"

   A. Sie (haben einen Wunsch): ,,______________________________"

   B. Sie (wollen nichts kaufen): ,,______________________________"

2. Verkäufer: ,,Nehmen Sie die Schuhe?"

   Sie (wissen nicht so recht, brauchen mehr Zeit): ,,______________________

   ____"

3. Sie haben etwas gekauft. Wie fragt der Verkäufer, ob sie noch etwas kaufen wollen? ,,______________________________"

   Sie (wollen nichts mehr): ,,______________________________"

Vokabeln die ich aus diesem Kapitel festhalten möchte:

KAPITEL

8

MEINUNGEN ÄUßERN, AUF MEINUNGEN REAGIEREN

8

„Ich persönlich finde . . .“

HÖREN UND VERSTEHEN

Wie macht man das auf englisch?

A. A German-speaking student visiting your country for the first time needs some strategies for keeping the ball rolling in conversations where she and the other speaker(s) are exchanging opinions. Such conversations might be about TV programs, buying a car, or about current issues such as pollution or politics.

What expressions would you use to ask for or elicit someone's opinion in such a conversation?

____

____

What expressions would you use to signal to the listener(s) that you are offering your own opinion?

____

____

If the listener then reacts to those opinions by agreeing (+), disagreeing (−) or by remaining neutral (−/+), what expressions would he/she use?

(+)

____

____

(−)

____

____

(−/+)

____

____

GESPRÄCH 1

B. Hören Sie sich das erste Gespräch auf dem Tonband an und dann machen Sie die Übungen im Buch (Teile A und B) und auf dem Tonband (Teil C). Sie hören Jörg und Helga, zwei Deutsche, die sich in Amerika kennengelernt haben und die Vor- und Nachteile der Fast Food-Ketten in Amerika diskutieren. Sie sind gegenteiliger Meinung.

TEIL A: Was haben sie gesagt?

Notieren Sie, wer was sagt. (Jörg = J, H = Helga)

J schlägt vor, daß sie bei McDonalds einen Hamburger essen gehen.

H äußert eine negative Meinung über McDonalds.

___ möchte nicht darüber diskutieren.

___ meint, die Atmosphäre dort sei schlecht.

___ meint, daß McDonalds Fleisch sehr gut sei.

___ findet, das Essen bei McDonalds schmecke immer gleich.

___ glaubt, sie haben genug Zeit, um eine Pizzeria zu suchen.

___ hat im Moment keine Lust, sich ins Restaurant zu setzen.

___ bemerkt, wie man bei McDonalds das Essen nach eigenem Wunsch zusammenstellen kann.

___ ist gegen das schnelle Essen.

___ meint, sie hätten nicht genug Zeit für eine Pizza.

___ ist damit einverstanden, daß sie heute bei McDonalds essen.

___ versucht, die Diskussion weiterzuführen.

TEIL B: Was haben sie getan?

Interpretieren Sie, was die Gesprächspartner bei jedem numerierten Satz gesagt haben. Verwenden Sie dabei Verben der folgenden Liste:

seine/ihre Meinung sagen
zustimmen (+Dat.) = derselben Meinung sein
widersprechen (+Dat.) = anderer Meinung sein

Helga: *Was hast du denn für einen Vorschlag parat? Also, McDonalds, das finde ich überhaupt nicht gut. (1) (. . .)*
Jörg: *Also, ich finde, die haben einen vorzüglichen Geschmack, das ist vorzügliches Fleisch, das da verwendet wird.*
Helga: *Geschmack nennst du das (2)? Also ich finde (3), die haben so einen Einheitsgeschmack; (. . .)*
Helga: *Das stimmt (4). Also, das einzige, was mir da schmeckt, sind die Pommes, die esse ich da schon manchmal.*
Jörg: *Na gut (5), vielleicht können wir uns darauf einlassen, daß ich einen Hamburger esse, und du ißt Pommes Frites.*

(1) Helga ______________________________

(2) Helga ______________________________

(3) Helga ______________________________

(4) Helga ______________________________

(5) Jörg ______________________________

TEIL C: Was kann man noch sagen?

Wie kann man eine persönliche Meinung äußern? *(Übung auf dem Tonband)*

Meiner Meinung nach ist . . .	My opinion is that . . .
Ich bin der Meinung, daß . . .	I am of the opinion that . . .
Ich finde . . .	I think/feel . . .
Ich meine . . .	I think/believe, . . .
Ich sehe die Sache so:	I see it as follows:
Ich bin der Auffassung, daß . . .	I am of the opinion that . . .

GESPRÄCH 2

C. Jörg und Helga besprechen amerikanische Eßgewohnheiten. Jörg ist schon drei Jahre in Amerika, Helga ist erst angekommen.

TEIL A: Was haben sie gesagt?

In welcher Reihenfolge werden folgende Meinungen geäußert?

__1__ Ein kleines Mittagessen hat Vorteile.

____ Das Abendessen in Amerika ist zu schwer.

____ Es ist nicht gut, wenn man sich nicht auf das Essen konzentriert.

____ Viele sitzen während des Abendessens vor dem Fernseher.

____ Das Trägheitsgefühl nach dem Essen ist schrecklich.

___ Man nimmt sich mehr Zeit, um von der Arbeit zu reden.

___ Es ist nicht schwer, sich an die amerikanischen Eßgewohnheiten zu gewöhnen.

___ Früher war beim Abendessen das Familiengespräch wichtig.

Welche Meinung (von der Liste oben) vertreten die beiden Sprecher mit den folgenden Aussagen?

z.B. 1. Ein kleines Mittagessen hat Vorteile.
Man braucht nicht zu kochen.
Man kann unterwegs schnell essen.
Man ißt soviel, wie man Hunger hat.

2. ______________________________
Man redet über die Arbeit.
Man sitzt vor dem Fernseher.
Das macht man auch in Deutschland.

3. ______________________________
Der Fernseher war ausgeschaltet.
Nach dem Essen konnte man vielleicht fernsehen.
Man spricht mit der Familie zusammen über den Tag und von der Arbeit.

4. ______________________________
Man ist hinterher müde und träge.
Man will nicht mehr arbeiten oder ins Kino gehen, sondern nur ins Bett.
Man versucht, abends nicht so viel zu essen.

TEIL B: Was haben sie getan?

Interpretieren Sie, was die Gesprächspartner bei jedem numerierten Satz getan haben. Verwenden Sie dabei die Verben in der folgenden Liste:

seine/ihre persönliche Meinung sagen
um Erklärung bitten
zustimmen (+Dat.)

Helga: *Du meinst, das Abendessen (1) – das stimmt (2).*
Jörg: *Das Fernsehen mußte absolut aus sein.*
Helga: *Ja, das stimmt, während des Abendessens, da war das Fernsehen also eigentlich fast immer aus. Aber eben hinterher konnte man Fernsehen gucken. Aber das Abendessen selber—das finde ich auch wichtig, daß (3) man da eben dann mehr Zeit hat, auch miteinander zu reden, oder vom Tag, was gewesen ist, in der Familie sich auszutauschen. Das finde ich schon gut, daß (4) man mittags nicht viel Zeit hat, und daß man dann von der Arbeit redet, das ist selbstverständlich.*
Jörg: *Meiner Meinung nach ist (5) das größte Problem mit amerikanischen Eßgewohnheiten, daß die Abendessen viel zu schwer sind (. . .)*

(1) Helga ________________________________

(2) Helga ________________________________

(3) Helga ________________________________

(4) Helga ________________________________

(5) Jörg ________________________________

TEIL C: Was kann man noch sagen?

Wie kann man auf eine Meinung reagieren? *(Übung auf dem Tonband)*

(−)	
Das sehe ich ganz anders.	I see it differently.
(Geschmack) nennst du das? Also ich finde . . .	You call that (taste)? Well, I think . . .
Ich glaube nicht, daß es . . .	I don't think that . . .
(+)	
Ja, das stimmt.	That's right.
Genau.	Exactly.
Du hast vollkommen recht.	You are right.
(+/−)	
Es kommt darauf an.	It all depends.
Da bin ich nicht sicher.	I'm not so sure.
Soviel ich weiß, . . .	As far as I know, . . .

GESPRÄCH 3

D. Jörg und Helga diskutieren über Tischmanieren. Sie haben ähnliche Erfahrungen zu Hause gemacht. Sie vergleichen amerikanische und deutsche Tischmanieren.

TEIL A: Was haben sie gesagt?

Wie wird das Gespräch aufgebaut, strukturiert? Schreiben Sie stichwortartig auf, was Sie hören.

A. Jörg sagt seine Meinung und begründet sie:
Amerikanische und bundesdeutsche Eßgewohnheiten sind unterschiedlich.

Deutsche Tischmanieren: über wen spricht Jörg? ______________________

Man durfte nicht ______________________

Man mußte ______________________

Amerikanische Tischmanieren: woher kennt sie Jörg? ______________________

Was tut man nicht? ______________________

Was kann/darf man? ______________________

B. Helga stimmt Jörg zu und gibt Beispiele aus ihrer Erfahrung:
Bei sich zu Hause: man durfte nicht mit vollem Mund sprechen; man mußte gemeinsam mit dem Essen anfangen.

Hier in Amerika: ______________________

C. Helga spricht ihre Meinung über das ideale Familienverhalten am Tisch aus.

Was findet sie nicht gut? ______________________

Was findet sie gut? ______________________

D. Jörg sagt seine Meinung über das Verhältnis zwischen Eltern und Kindern in Amerika.

Was findet er gut? ______________________

Was hat er in Amerika beobachtet? ______________________

TEIL B: Was haben sie getan?

Interpretieren Sie, was die Gesprächspartner bei jedem numerierten Satz getan haben. Verwenden Sie dabei die Verben in der folgenden Liste.

seine/ihre persönliche Meinung äußern
nach einer Meinung fragen
anderer Meinung sein

Jörg: *Ich finde das weniger autoritär (1) zwischen Eltern und Kindern, als das in Deutschland der Fall ist.*
Helga: *Ja, dieses Anti-autoritäre, ja . . .*
Jörg: *Ich glaube nicht, daß es (2) anti-autoritär ist, sondern einfach informeller ist. Diese Autoritätsverhältnisse sind bei weitem nicht so klar definiert.*
Helga: *Ja, ich meine jetzt (3), ich würde so für meine Kinder . . .*
Jörg: *Es gibt nicht das Phänomen des „Herrn im Hause".*

(1) Jörg ______________________

(2) Jörg ______________________

(3) Helga ______________________

TEIL C: Was kann man noch sagen?

Wie kann man nach einer Meinung fragen? *(Übung auf dem Tonband)*

Ja/Nein Fragen:

Ist das hier anders?	Is that different here?
Ist dir das als Gegensatz aufgefallen?	Did you notice this as a contradiction?
Also denkst du denn . . . ?	So do you think . . . ?

Offene Fragen:

Was ist denn deine Meinung?	What is your opinion?
Woran ist dir das so klar geworden?	How did that become clear to you?
Deiner Meinung nach, wie/wer/ warum . . . ?	How/Who/Why in your opinion . . . ?

REDEN

E. Dafür oder dagegen? *(in Paaren vor der Klasse)*

ÜBEREINSTIMMEN

Das stimmt, und zwar . . .	That's right, in fact . . .
Und nicht nur das, . . .	And not only that . . .
Da stimme ich dir voll und ganz zu.	I really agree.
Da bin ich völlig mit dir einverstanden.	I completely agree.
Du hast vollkommen recht!	You're entirely right.
Das ist wahr!	That's true!
Was Sie sagen ist ganz/ völlig richtig.	What you say is completely true.
Da bin ich Ihrer Ansicht.	I agree with you on that.
Da sind wir uns ganz einig.	We are in complete agreement on that.

EINE MEINUNG BESTREITEN

Ich sehe die Sache anders.	I see it differently.
Aber gerade im Gegenteil.	No, not at all/just the opposite.
Aber nein, das ist ganz anders.	But no, it's very different.
Das ist nicht ganz wahr/richtig, was du sagst.	What you say is not quite right.
Da bin ich anderer Meinung.	I am of a different opinion on that.
Entschuldigung, aber hast du daran gedacht, daß . . .	Excuse me, but have you considered that . . .
Leider kann ich Ihre Meinung ganz und gar nicht teilen.	Unfortunately, I really can't agree with you.

DIE AKTUELLE DISKUSSION

TEMPO 30

Pro und contra

Tempo 30 in Wohngebieten – eine wirksame Waffe gegen den Verkehrstod in Deutschlands Städten? HÖRZU stellte das Thema in Heft 7 zur Diskussion. Hier eine Auswahl aus den Leserbriefen

„Und wer paßt auf, daß alle langsam fahren?"

Wer die blutige Chronik unseres Straßenverkehrs objektiv beobachtet, kann an unserem Nationalcharakter verzweifeln! Es wäre wohl zu schön, um wahr zu sein, wenn es wenigstens in unseren Wohngebieten gelänge, der Menschlichkeit endlich wieder Vorrang zu verschaffen.
Franz H. Müller, Oberursel

Tempo 30 ist 100prozentig richtig. Aber es müßte überall eingeführt werden, und zwar auf gesetzlicher Basis.
Hans Jessnitzer, Neuburg an der Donau

Grundsätzlich bin ich für Tempobegrenzung in Wohnbereichen – allerdings nur, wenn dafür alle Voraussetzungen geschaffen werden und auch stimmen. Ein Negativbeispiel gibt es hier in Aachen im Wohnbereich Driescher Hof. Dort wurde eine ein Kilometer lange und zehn Meter breite Durchgangsstraße (!) auf Tempo 30 begrenzt. Das Resultat ist ziemlich niederschmetternd: etwa 90 Prozent aller Verkehrsteilnehmer fahren dort schneller, als erlaubt ist.
Dieter Gärder, Aachen

Tempo 30 ist etwas weit hergeholt. Wenn jeder seine 50 km/h einhält, fährt er genauso sicher wie mit 30 km/h. Wenn der ADAC in München diese Versuche unterstützt, trete ich sofort aus.
Reinhard Dobner, Münchberg-Poppenreuth

Wir müssen in unserer ländlichen Gemeinde täglich erleben, wie das Leben unserer Kinder und Alten insbesondere durch den Durchgangsverkehr gefährdet wird. Was gibt es Besseres als ein Tempolimit, um hier mehr Sicherheit zu gewährleisten? Wir sehen durch Tempo 30 unsere Interessen sowohl als Autofahrer als auch als Anwohner voll unterstützt.
Dr. Michael Jung, Mühlhausen

Ich bin gegen Tempo 30. Erstens: es läßt sich praktisch nicht überwachen. Außerdem macht der Einbau von Schikanen, Schwellen etc. die Straße unübersichtlich. Der Einsatz von Feuerwehr- und Rettungsfahrzeugen wird erschwert. Es ist schon erstaunlich, wie viele Menschen sich an der Verteufelung des Autos beteiligen.
Klaus Boerner, Schwerte

Alles gut und schön: aber hat sich schon mal jemand überlegt, ob es überhaupt möglich ist, Tempo 30 zu überwachen? Wer paßt eigentlich auf, daß alle langsam fahren? Noch mehr Beamte, noch mehr Kontrollen, noch mehr Behörden und Apparate? Ein hoher Preis für einen zweifelhaften Erfolg.
Irene Steigberger, Bochum

Ich bin für Tempo 30, weil die Autofahrer schneller bremsen können, wenn wir Kinder auf der Straße spielen.
Tim Kampmann, Overath

Tempo 30 bringt überhaupt nichts. Höchstens noch mehr Verkehrschaos in den schon überfüllten Straßen. Und noch mehr Abgase. Ich würde vorschlagen: Tempo 40 – 50, je nach dem Verkehrsfluß.
Otto Arnold, Wiesenbach

Ob die Autos nun 30 oder 50 fahren, Kinder laufen weiterhin hinter Autos und Blumenkübeln hervor. Auf jeden Fall sollten die Anwohner selbst bestimmen. Für das eingesparte Geld der Blumenkübel sollten Bäume gepflanzt werden.
Esther Frackowiak, 15, Berlin

Für jede Meinung, die Ihr Partner/Ihre Partnerin zu einem der folgenden Themen äußert, stellen Sie ein Gegenargument auf, oder stimmen Sie ihm/ihr zu.

z.B. **A:** Ich finde, meine Eltern sollten mir nicht immer reinreden. Die Kinder müssen ihre eigenen Erfahrungen machen.
B: Ich bin anderer Meinung. Die Eltern können ihrem Kind oft einen guten Rat geben.
oder:
Ja, da stimme ich dir vollkommen zu.

1. Die Ärzte übertreiben wirklich die Gefahren beim Rauchen.
2. Meine Freunde, die jung geheiratet haben, sind alle schon geschieden. Die Ehe hat heutzutage überhaupt keine Funktion mehr.
3. Eine gute Geschäftsperson im heutigen internationalen Handelswesen muß mindestens eine Fremdsprache können.
4. Wenn man nur hört, wieviele Flugzeuge abstürzen und wie oft es Terroristenanschläge an Flughäfen gibt, müßte man sagen, daß es sich nicht mehr lohnt zu fliegen.
5. Die Begrenzung der Fahrgeschwindigkeit in Städten führt nur zu unnötigen Verkehrsstaus.
6. Eine starke Schutzzollpolitik ist die einzige Art und Weise, wie man unsere Wirtschaft schützen kann.
7. Es ist unbedingt nötig, den Sexualkundeunterricht schon in der Schule anzufangen.
8. Es ist nicht richtig, daß Sportler in den USA solche hohen Gagen bekommen.

F. Was meinst du denn? *(in Paaren vor der Klasse)*

memo

NACH EINER MEINUNG FRAGEN

Was meinst du?	What do you think?
Welcher Meinung sind Sie?	What opinion do you have?
Wie finden Sie . . . ?	What do you think of . . . ?
Finden Sie nicht, daß . . . ?	Don't you find/think that . . . ?
Bist du der Meinung, daß . . . ?	Are you of the opinion that . . . ?
Bist du denn so dafür?	Are you really for that?
. . . , nicht? / nicht wahr?	. . . , isn't that so?

EINE NEUTRALE MEINUNG VERTRETEN

Na ja, aber . . .	Well, yes, but . . .
Das ist mir egal.	I don't care.
Ach so, meinst du.	Yes, I see what you mean.
Wie du meinst.	Whatever you think.
Ja schon, aber . . .	Yes, okay, but . . .
Wir werden sehen.	We will see.
Möglicherweise ja.	Yes, possibly.
Da bin ich nicht sicher.	I'm not sure about that.
Völlig richtig, andrerseits . . .	For sure, on the other hand . . .
Manchmal ja, manchmal nein.	Sometimes yes, sometimes no.

Oft ist ein Meinungsaustausch Teil eines größeren Gesprächs in dem man z.B. zusammen über Neuigkeiten spricht oder anderen über etwas berichtet. Fangen Sie mit einem Stichwort an, machen Sie eine einfache Feststellung oder fragen Sie gleich die nächste Person nach seiner/ihrer Meinung. Die nächste Person wird immer a) nach Ihrer Meinung fragen und/oder b) seine/ihre Meinung äußern und/oder c) die Sache weiter beschreiben oder darüber berichten.

z.B. ein neuer Film

A: Ich habe gehört, daß ein neuer Film von Wim Wenders gerade im Kino läuft.

B: Ja, er ist ein deutscher Regisseur, nicht? Wie findest du seine Filme?

1. ein neuer Film
2. ein Buch, das Sie neulich gelesen haben
3. ein Studentenlokal in Ihrer Stadt
4. Ihr Klassenzimmer
5. ein Auto
6. die Frisur eines Freundes/einer Freundin
7. eine bekannte Rockgruppe
8. eine neue Professorin an der Uni

G. Wann sagt man das? *(alle zusammen)* Überlegen Sie zusammen in der Klasse, wann Sie die folgenden Meinungsausdrücke und Beurteilungen sagen würden. Mit wem sprechen Sie? Wo könnten Sie sein? Was ist eben passiert?

Toll!
Das finde ich gut.
So was habe ich noch nie erlebt!
Der ist witzig.
Wie doof!
Das ging mir total auf die Nerven!
Das ist doch nicht Ihr Ernst!
Das war richtig spannend!
Ich übertreibe nicht.
Das war viel besser als ich eigentlich erwartet hatte.
Das muß man gesehen haben!

REDEN MITREDEN

H. Prioritäten setzen. *(in Gruppen zu dritt)* Wie kann man, Ihrer Meinung nach, die Begriffe in den folgenden Wortgruppen in eine bestimmte Reihenfolge einordnen? Suchen Sie zusammen ein Kriterium aus, nach dem Sie die Begriffe in einer Wortgruppe einordnen wollen. Besprechen Sie dann zusammen, was an erster Stelle, an zweiter Stelle, usw. stehen soll. Sie können dann auch mit weiteren Kriterien arbeiten.

Berichten Sie der Klasse über Ihre Ergebnisse.

z.B. Essen: Fleisch, Kartoffeln, Reis, Äpfel, Karotten, Brot, Kuchen, Schokolade, Essig und Öl.
möglische Kriterien: lebensnotwendig, gesund, süß, billig, macht dick

1. Tiere: Katze, Schlange, Hund, Pferd, Kuh, Hase, Maus
2. Transportmittel: Segelboot, Straßenbahn, Flugzeug, Auto, Hubschrauber, Lastwagen
3. Freizeitaktivitäten: schwimmen, lesen, spazieren gehen, Musik hören, basteln, kochen, tanzen, Briefe schreiben
4. Farben: lila, rot, braun, weiß, gelb, schwarz, grün, grau, orange, blau
5. Kleider: Turnschuhe, Hut, Hemd, Gürtel, Mantel, Stiefel, Kleid, Handschuhe

I. Auf eine Meinung reagieren. *(alle zusammen)* Zu einem Thema gibt es oft viele verschiedene persönliche Meinungen. Sie sollen hier herausfinden, wie andere Leute in Ihrer Klasse auf eine Meinung reagieren. Schreiben Sie eine Meinung zu einem der folgenden Themen. (z.B.: Es ist eine Zumutung, daβ Nichtraucher auch mitrauchen müssen.) Fragen Sie sechs Kommilitonen ob sie diese Meinung unterschreiben könnten (ja, nein, ja mit Einschränkung). Jede Person fragt dann acht Klassenkameraden nach ihrer Reaktion auf einen Standpunkt.

THEMEN:

- das Rauchverbot
- die Erhöhung des Mindestlohns
- die Todesstrafe
- Hausmänner
- die Atomenergie
- die Wiederverwertung von Altglas und Metall
- die Lärmbelästigung durch Stereoanlagen
- die Beseitigung von Giftmüll
- ein Mindestalter für Alkoholverkauf
- soziale Einrichtungen für Obdachlose

Meinung: ______________________________

Name des Interviewten:	**ja**	**nein**	**mit Einschränkung—welche?**
____________	☐	☐	nur wenn, ____________
____________	☐	☐	____________
____________	☐	☐	____________
____________	☐	☐	____________
____________	☐	☐	____________
____________	☐	☐	____________
____________	☐	☐	____________

Referieren Sie der Klasse über die Ergebnisse Ihrer Rundfrage. Beschreiben Sie die Reaktionen der anderen und erklären Sie ihre Einschränkungen.

J. Gastronomische Umfrage. Jeder Student/jede Studentin wählt eins der folgenden Stichworte und fragt fünf andere in der Klasse, wie er/sie dazu steht. Jeder soll seine Meinung begründen.

- McDonald's
- Fast Food-Ketten
- Thanksgiving mit der Familie
- die Mensa an Ihrer Schule/Uni
- Erdnuβbutter
- Selbst kochen
- Frühstück am Sonntagmorgen
- Spinat
- Italienische Küche
- Chinesische Küche
- Diät einhalten
- Gespräche am Familientisch
- Alkoholausschank an Jugendliche unter zwanzig

MOMENT MAL!

Ruth-Janessa Kleinschmidt, Studentin

Stört es Sie, wenn sich ein Gastgeber dafür entschuldigt, daß es bei ihm so unaufgeräumt ist?

Gabriele Amereller, Hausfrau

Ja Ich finde solche Entschuldigungen total überflüssig und auch ein bißchen peinlich. Weil man merkt, wie unsicher jemand ist, der meint, sich so entschuldigen zu müssen. Es ist doch nichts dabei, wenn in einer Wohnung viele Sachen herumliegen. Wenn man nun mal kein ordentlicher Typ ist, dann braucht man das auch nicht vorzuspielen.

Ob man Spaß miteinander hat und sich als Besuch wohl fühlt, hängt überhaupt nicht davon ab, daß der Gastgeber vorher möglichst einen Hausputz veranstaltet hat. Sondern davon, daß man spürt: Der freut sich jetzt richtig, daß ich da bin. Und dieses Gefühl bekomme ich nicht so leicht, wenn ich mir erst solche Entschuldigungen anhören muß. Denn eigentlich heißt das ja im Klartext, daß es im Moment gar nicht so recht paßt mit meinem Besuch.

Nein Wenn es wirklich sehr unaufgeräumt ist, finde ich es völlig richtig, daß er sich dafür entschuldigt. Besonders höflich ist es nicht, wenn sich Gäste ihren Weg durch ein totales Chaos bahnen müssen. Natürlich kann man seine Wohnung nicht immer tipptopp aufgeräumt haben. Auch bei mir geht es manchmal drunter und drüber. Aber ich habe Verständnis dafür, wenn einem das ein bißchen peinlich ist.

Mir sind Menschen, die sich entschuldigen, auf jeden Fall lieber als die Sorte Leute, die es auch noch schick finden, wenn ihre Wohnung verschlampt ist, und die jeden spießig finden, der nicht mindestens zehn leere Flaschen im Wohnzimmer rumstehen hat. Ärgerlich finde ich eine Entschuldigung nur dann, wenn die Wohnung des Gastgebers wie geleckt aussieht. Für ein paar Zeitschriften, die irgendwo rumliegen, muß man sich wirklich nicht bei seinem Besuch entschuldigen.

Entschuldige, im Moment sieht's hier wirklich chaotisch aus

Im nächsten Heft: Finden Sie, daß man in einer guten Beziehung keine Geheimnisse voreinander haben sollte?

4 freundin

memo

Aus dem Grunde, weil . . .	For the reason that . . .
Aus demselben Grund . . .	For the same reason . . .
Aus vielen Gründen . . .	For many reasons . . .
Aus folgenden Gründen: erstens . . . zweitens . . .	For the following reasons: first . . . second . . .
Ich finde es furchtbar und zwar (+ Beispiele).	I think it's terrible, namely (+ examples).

STICHWORT: ______________________

Meinung 1: ______________________

Begründung: ______________________

Meinung 2: ______________________

Begründung: ______________________

Meinung 3: ______________________

Begründung: ______________________

Meinung 4: ______________________

Begründung: ______________________

Meinung 5: ______________________

Begründung: ______________________

Geben Sie eine Zusammenfassung Ihrer Umfrage vor der ganzen Klasse!

REDEN MITREDEN DAZWISCHENREDEN

K. Geburtstagsgeschenke. *(in Gruppen zu viert)* Jeder soll heute ein Geburtstagsgeschenk bekommen. Machen Sie eine Liste der Informationen, die man braucht, um für jemand das richtige Geschenk auszusuchen (z.B. wie alt die Person ist, was sie gern tut).

Jeder aus Ihrer Gruppe soll jemand aus einer anderen Gruppe interviewen. Benutzen Sie direkte Fragen, Kommentare, Schlußfolgerungen:

z.B. ,,Findest du Sport interessant?''—,,Tja . . . Sport habe ich nicht besonders gern.''
oder:
,,Du spielst also nicht gern Tennis?''—,,Nein, ich spiele lieber Klavier!''

Mit den Informationen, die Sie gesammelt haben, schreiben Sie jetzt das ,,Persönlichkeitsprofil'' der interviewten Person.

Name: ______________________________

Persönlichkeitsprofil: ______________________________

____

____

____

Diskutieren Sie zusammen mit Ihrer Gruppe, welches Geschenk zu welcher Person passen könnte. Geld spielt keine Rolle!

Name	**Geschenk**	**Begründung**

Schreiben Sie das Geschenk auf ein Kärtchen. Geben Sie jeder Person offiziell ihr Geschenk und erklären Sie vor der Klasse, wer was bekommt und warum.

L. Familienregeln. *(in Gruppen zu viert)* Besprechen Sie die Tischmanieren, mit denen Sie zu Hause aufgewachsen sind. Wo wurde bei Ihnen gegessen? (in der Küche, im Eßzimmer, in einer Wohnküche?) Welche Tischmanieren galten bei Ihnen zu Hause?

- Hände vor dem Essen waschen
- sofort zu Tisch kommen, wenn gerufen wird
- nicht eher essen, bis alle da sind
- Tischgebet: vor/nach dem Essen; von wem gesprochen?
- mit dem Essen warten, bis die Mutter/der Vater angefangen hat oder bis alle sich bedient haben
- Hände auf dem Tisch behalten
- gerade sitzen
- keine Ellenbogen auf der Tischkante

- nicht mit dem Stuhl schaukeln
- nicht mit den Fingern essen
- nicht schlürfen, schmatzen oder rülpsen
- sich selbst bedienen/bedient werden
- alles essen, was auf den Tisch kommt
- Teller leer essen
- Teilnahme der Kinder am Tischgespräch?
- nicht mit vollem Mund reden
- nicht das Messer ablecken
- nicht den Teller sauberlecken
- nicht aufstehen, bis alle mit dem Essen fertig sind
- den Tisch decken, bzw. abdecken
- abwaschen, bzw. die Geschirrspülmaschine betätigen
- (andere Regeln)

Bei mir zu Hause war es so:	At home it was like this:
Es gab überhaupt keine festen Regeln.	There were no fixed rules.
Es war unterschiedlich.	It varied.
Das darfst du nicht.	You may not do that. (to be allowed to)
Das erlauben mir die Eltern nicht.	My parents don't allow me to do that.
Man mußte immer . . .	We (one) always had to . . .

Was halten Sie heute von Ihrer Erziehung? Welche drei Regeln möchten Sie beibehalten, wenn Sie selbst eines Tages Kinder haben? Begründen Sie Ihre Meinung.

1. ______________________________
2. ______________________________
3. ______________________________

DAS RECHTE WORT ZUR RECHTEN ZEIT

Wissen Sie, was man in den folgenden Situationen sagen könnte?

M. Im Gespräch mit einem Freund.

1. Er: ,,Hast du Hunger? Gehen wir essen! Wo möchtest du hin?"
   Sie (wissen nicht):
   ,,______________________________"
   Sie (haben einen Wunsch):
   ,,______________________________"
2. Er: ,,Willst du nachher ins Kino gehen?"
   Sie (gehen lieber woanders hin):
   ,,______________________________"
   Sie (gehen gern ins Kino):
   ,,______________________________"
   Sie (haben keine besondere Lust, aber wollen trotzdem hingehen):
   ,,______________________________"
   Sie (können nicht: zu viel Arbeit):
   ,,______________________________"
3. Nach dem Film. Ihr Freund: ,,Sag mal, was hältst du von dem Film?"
   Sie (positiv): ,,______________________________"
   Sie (negativ): ,,______________________________"
   Sie (neutral): ,,______________________________"
4. Er gibt seine Meinung: ,,Ich finde den Film furchtbar!"
   Sie (sind derselben Meinung): ,,______________________________"

N. In der Klasse.

1. Bei einer Gruppendiskussion. Ein Mitstudent fragt Sie: ,,Was meinst du dazu?"
   Wie beginnen Sie Ihre Antwort?
   Sie (geben Ihre Meinung):
   ,,______________________________"

Sie (haben keine Meinung):

,, ____ "

Sie (haben eine ganz starke Meinung):

,, ____ "

2. Eine Mitstudentin sagt ihre Meinung: ,,Ich finde, man sollte . . . "

   Sie (sind derselben Meinung): ,, ______________________________ "

   Sie (sind anderer Meinung): ,, ______________________________ "

Vokabeln
die ich aus diesem Kapitel festhalten möchte:

KAPITEL 9

THEMEN EINFÜHREN, GESPRÄCHE STEUERN

9

„Was ich sagen wollte . . ."

HÖREN UND VERSTEHEN

Wie macht man das auf englisch?

A. Observe people in public: on the bus, at a party, in the cafeteria. How do they go about conversing in English? Make note of what English expressions are used to steer a topic. How does the speaker or the listener react when one wants to encourage the other to keep on speaking?

1. The listener shows that he is really listening. ("Aha. I see.")

____

____

2. The speaker makes sure that the listener is hearing. ("You know what I mean?")

____

____

3. How does the speaker (or listener) bring the discussion back to the topic if the conversation has strayed? ("To get back to what we were saying . . . ")

____

____

4. How does one change the topic abruptly ("Oh, by the way") or elegantly?

____

____

GESPRÄCH 1

B. Hören Sie sich das erste Gespräch auf dem Tonband mehrmals an, und dann machen Sie die Übungen im Buch (Teil A und Teil B) und auf dem Tonband (Teil C).

Helga und Renate reden über die Ehe. Helga ist nicht verheiratet und lebt seit mehreren Jahren mit ihrem Freund Karl-Heinz zusammen. Renate hat sich vor kurzem mit ihrem Freund Paul verheiratet. Verschiedene Nebenthemen werden erwähnt: Wie nennt man seinen Freund in der Öffentlichkeit? Welche Sicherheit bietet die Ehe? Ist der Trauschein eine Hilfe? Was heißt dann Liebe und Treue, wenn man einen Trauschein braucht?

TEIL A: Was haben sie gesagt?

Notieren Sie sich wer welche Nebenthemen eingeführt und weitergeführt hat. Eine Liste von Themen finden Sie unten. Achten Sie auch darauf, wie die Aussagen aneinander anknüpfen. Schreiben Sie den Anfang jeder Aussage auf, wie z.B. ,,also weiβt du", ,,das kann sein".

Nebenthemen im Dialog 1:

1. Äuβerlichkeiten
2. Definitionsmerkmale einer/der Ehe
3. jetzt verheiratet, früher dagegen
4. eine Ehe ohne Trauschein
5. was man anderen sagen kann
6. Familienhintergrund
7. Ehe als gesellschaftliches Ritual
8. Ehe auf Probe
9. (. . . andere Themen?)

Renate Anfang der Aussage:	Thema:	Helga Anfang der Aussage:	Thema:
Also, weißt du . . .	3	Ja, genau das	3
		interessiert mich	

TEIL B: Was haben sie getan?

Interpretieren Sie, was die Gesprächspartner bei jedem numerierten Satz gesagt haben. Renate führt das erste Thema ein. Helga steuert das Thema weg zu ihrem Thema. Beschreiben Sie, wie Renate und Helga aneinander anknüpfen und welche die wichtigsten Worte sind (=themaangebende Worte), die das Gespräch vorwärts treiben.

Renate: *Also, Helga weißt du, jetzt hab' ich schließlich doch geheiratet, ich glaub's ja selber noch nicht—auf mein Alter hab' ich doch noch geheiratet, obwohl ich mein ganzes Leben gesagt habe: also so spießig werd' ich nie! (1)*

Helga: *Ja, Renate, genau das interessiert mich mal, warum. Früher hast du gesagt, ach, wir heiraten nicht, und jetzt kommst du dazu. Habt ihr doch euch entschlossen, zu heiraten? (2)*

Renate: *Weißt du– eigentlich– ich muß ja sagen, der Paul hat mich ein bißchen gedrängt, weißt du, der is so ein bißchen bürgerlicher, und der hat so diesen Familienhintergrund, der möcht' halt seiner Mama gefallen. Aber schließlich finde ich es jetzt auch ganz toll, weil du kannst immer wie die anderen sagen—you know—„Jetzt geh ich heim zu meinem Mann." (3)*

Helga: *Ja aber, guck' mal, wenn das der einzige Unterschied ist, daß du so nach außen hin sagen kannst: „Ach, das ist mein Mann", oder eben, daß du durch deinen Mann irgendwie vielleicht zu einer Gruppe dazu gehörst, nur weil es dein Mann . . . (4)*
(. . .)

Renate: *Im Prinzip gebe ich dir ja recht; ich mein'– es hat sich herausgestellt, daß solche Sachen, die sind mehr äußerlich . . . (5)*

Helga: *Ja, genau, aber gerade diese Äußerlichkeiten! Da frage ich mich, was heißt das so für dich: Liebe, Treue, Zusammenleben, ob man wirklich zusammenleben will äh—ich glaube auch, daß man dann ohne Trauschein, ohne Ehe zusammenbleibt! (6)*

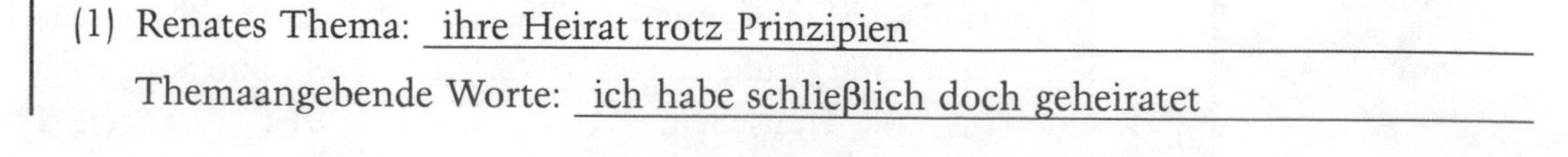

(1) Renates Thema: ihre Heirat trotz Prinzipien

Themaangebende Worte: ich habe schließlich doch geheiratet

(2) Helgas Thema: Renate hat ihre Meinung geändert

Themaangebende Worte: früher . . . und jetzt

(3) Renates Thema: ______

Themaangebende Worte: ______

(4) Helgas Thema: ______

Themaangebende Worte: ______

(5) Renates Thema: ______

Themaangebende Worte: ______

(6) Helgas Thema: ______

Themaangebende Worte: ______

TEIL C: Was kann man noch sagen?

Wie führt man ein Thema ein? *(Übung auf dem Tonband)*

Mir ist aufgefallen, daß/wieviel . . .	It's become apparent to me that/how much . . .
Das zum Beispiel mit dem/der . . .	For instance that (thing) about . . .
Genau das interessiert mich, warum/was . . . ?	That's exactly what interests me, namely why/what?
Aber guck' mal, . . .	But then consider . . .
Ich habe die Erfahrung gemacht, daß . . .	I've had the experience that . . .
Und das muß ich sagen, . . .	And I have to say . . .

GESPRÄCH 2

C. Jörg und Helga unterhalten sich über ihre Zukunftspläne.

TEIL A: Was haben sie gesagt?

Bitte schreiben Sie in kurzen Sätzen die Themen, die sie besprechen, z.B. Helgas Jahr in Amerika: eine Chance, andere Erfahrungen zu machen. Welche Redemittel benutzen die Sprecher, um neue Themen einzuführen oder an andere Themen anzuknüpfen? Füllen Sie die Lücken in den folgenden Textausschnitten und notieren Sie, was das Thema ist.

Jörg: ______ *weiß ich, daß es gar nicht so ohne weiteres und schmerzlos ging.*

Thema: ______

Helga: *Hm, für einen längeren Zeitraum ist das schon schwierig, das glaube ich.* ______ *, daß ich mit dem Karl-Heinz hier rüber gekommen bin und für uns auch feststand ein Jahr, oder vielleicht etwas länger, vielleicht auch zwei Jahre. (. . .)*

Thema: ______

Helga: ______________________________. *Das zum– ja wir haben vorher überlegt zu heiraten, weil wir wußten, daß es schwierig wird, hier rüber zu kommen ohne verheiratet zu sein. (. . .)*

Thema: ______________________________

Jörg: ______________________________, *daß ich selbst eine Verwandlung durchging, durch meinen Aufenthalt in den Vereinigten Staaten. (. . .)*

Thema: ______________________________

Helga: ______________________________ *mit dem geographisch mobil, das muß ich sagen hatte ich mir auch eben so– wünsche ich mir, daß ich da möglichst nicht so an einem Ort hänge (. . .)*

Thema: ______________________________

Helga: *Also wenn—ja—* ______________________________, *ich war einmal so drei Monate in Neuseeland, und da habe ich so auch die Erfahrung gemacht, daß die Welt irgendwie so klein geworden ist (. . .)*

Thema: ______________________________

TEIL B: Was haben sie getan?

Interpretieren Sie, was die Gesprächspartner getan haben. In diesem langen Gespräch werden folgende Themen eingeführt. Schreiben Sie, wer jedes dieser Themen einführt. Spekulieren Sie, was man daraus schließen kann in bezug auf das Rollenverhältnis von Jörg und Helga, z.B. *wer* führt *welche* Themen ein?

Sprecher:	Thema:	Meine Interpretation:
______________	1. Zunkunftspläne	______________
______________	2. schwierig, die Heimat zu verlassen	______________
______________	3. heiraten	______________
______________	4. geographische Mobilität	______________
______________	5. anderswo leben	______________
______________	6. Beruf und Familie: unvereinbar?	______________

TEIL C: Was kann man noch sagen?

Wie unterbricht man, um das Wort zu ergreifen? *(Übung auf dem Tonband)*

Also, apropos (Kinder):	Speaking of (children):
Das ist es ja gerade.	That's just it.
Dazu möchte ich was hinzufügen.	I'd like to add something to that.
Denn aus eigener Erfahrung . . .	Yes, from my own experience . . .
Aber bei mir war das so:	Now in my case it was different:
Ja genau. Aber da frage ich mich . . .	Exactly, but I ask myself . . .
Augenblick! / Moment mal!	Just a minute!
Also ich persönlich finde . . .	Well, I find . . .
Darf ich kurz etwas sagen:	May I just say something:

REDEN

D. Das Pingpongspiel. *(alle zusammen)* Beobachten Sie, wie Deutsche Fragen erwidern. Wie knüpft die Antwort thematisch an die Frage an, d.h. wie schlägt der Zuhörer den Pingpongball zurück? Lesen Sie folgende Aussagen laut mit verteilten Rollen. Achten Sie bei den Antworten auf den steigenden Tonfall (↗).

A. Findet ihr Politik interessant?

B. Tja, vieles interessiert mich nicht, weil es zu abstrakt ist. Interessant finde ich Politik nur dann, wenn sie mich selbst irgendwie betrifft.

C. Mich interessiert in der Politik vor allem die Innenpolitik.

D. Politik finde ich überhaupt nicht interessant.

A. Glaubt ihr, daβ man Einfluβ auf die Politik haben kann?

B. Da bin ich wirklich nicht sicher.

C. Einfluβ kann man nur haben, wenn man eine Gruppe bildet.

D. Hm, das weiβ ich nicht.

E. Das glaube ich schon!

A. Meint ihr, daβ die Jugendlichen eine eigene politische Kraft sind?

B. Ja, davon bin ich fest überzeugt!

C. Nein, das glaube ich nicht. Dazu sind die Meinungen und Erfahrungen der Jugendlichen zu unterschiedlich.

Sie werden gemerkt haben, die Antworten knüpfen alle an das Gesprächsthema an (vieles; interessant; mich; Politik; Einfluß; da; das; dazu) und beginnen nicht immer mit „Ich"! Dadurch wird das Thema betont und mit steigendem Tonfall gesprochen.

Geben Sie verschiedene mögliche Antworten auf die folgenden Fragen (**ja**—positive; **nein**—negative; **tja**—zögernd). Beginnen Sie immer mit dem thematischen Wort.

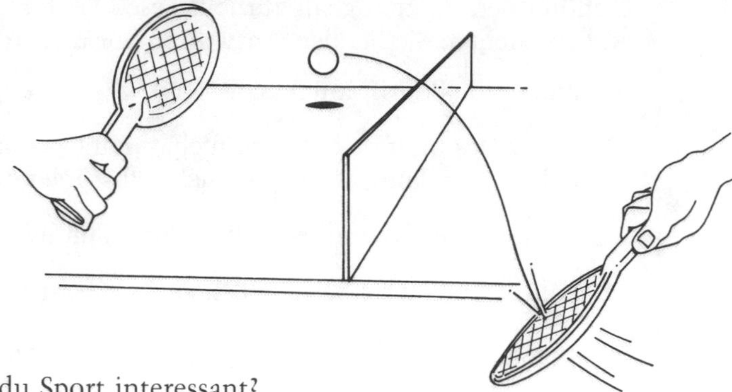

1. Findest du Sport interessant?
   - Ja, Sport . . .
   - Nein, Sport . . .
   - Tja, Sport . . .
2. Was willst du in 20 Jahren machen?
   - In 20 Jahren . . .
   - Naja ich . . .
3. Glaubst du, du bekommst eines Tages den Nobelpreis?
   - Dazu . . .
   - Daß ich eines Tages . . .
4. Meinst du, Kinder lernen genug in der Schule?
   - Das Lernen . . .
   - Es kommt darauf an, ob . . .
5. Was studierst du im Hauptfach?
   - Als Hauptfach . . .
   - Eigentlich . . .
6. Sollte man Religion an der Schule unterrichten oder nicht?
   - Da . . .
   - Darüber . . .
   - Das . . .
   - Nein, dazu . . .
   - An der Schule . . .
   - Religion . . .

E. Themen ausbauen. *(alle zusammen)* Wie spricht man weiter, sogar wenn man selbst nichts Neues zu sagen hat? Man läßt den anderen sprechen, indem man Fragen stellt oder Reaktionen, Kommentare und Interpretationen gibt. Lesen Sie mit Ihrem Lehrer folgende Erwiderungsmöglichkeiten durch und achten Sie dabei besonders auf den Tonfall. Sie können dann Ihre eigenen Reaktionen usw. improvisieren.

Direkte Fragen	**Lehrer:** Wir machen heute einen Ausflug. Student 1: Was nehmen wir mit? Student 2: Wohin gehen wir? Student 3: Gehen wir alle zusammen?
Reaktionen	**Lehrer:** Wir machen heute einen Ausflug. Student 1: Einen Ausflug? Wirklich? Student 2: Heute? toll! Student 3: Ach, das stimmt ja gar nicht!
Kommentare	**Lehrer:** Wir machen heute einen Ausflug. Student 1: Da hätte ich mein Frisbee bringen sollen. Student 2: Das ist eine gute Idee. Student 3: Schade, daß John nicht da ist.
Interpretation	**Lehrer:** Wir machen heute einen Ausflug. Student 1: Wir fahren also raus. Student 2: Da haben wir also keinen Unterricht! Student 3: Wir arbeiten also heute nicht!

Lesen Sie noch einmal die zwei Gespräche zwischen A und B auf Seite 16–18 im ersten Kapitel. Beobachten Sie, wie A mit Fragen, Reaktionen, Kommentaren und Interpretationen das Gespräch steuert und B reden läßt.

REDEN MITREDEN

F. Kurzdebatten. *(in Paaren)*

memo

MEINUNGSÄUßERUNG

Ach weißt du . . .	You know . . .
Also ich meine/denke/finde . . .	I think/believe/find . . .
Also ich bin der Meinung, daß . . .	Well, I'm of the opinion that . . .

ZUGEBEN UND KONTERN

Das stimmt, aber . . .	That's true, but . . .
Ja, aber . . .	Yes, but . . .
Das kann wohl sein, aber . . .	That may be so, but . . .
Du hast vielleicht recht; andererseits . . .	Maybe you're right, but on the other hand

ENERGISCH KONTERN

Aber guck mal.	But look.
Aber nein!	But no!
Absoluter Quatsch!	Complete rubbish!
Das ist aber Unsinn!	But that's nonsense.
Unsinn!	Nonsense!
Ganz im Gegenteil!	On the contrary.

Sie werden eine Minute haben, eins der folgenden Themen zu debattieren. Wichtig dabei ist, daβ Sie schnell auf Ihren Partner reagieren, ihn/sie unterbrechen und ihm/ihr widersprechen. Benutzen Sie die geübten Redemittel, um so schnell wie möglich einzusteigen. Warten Sie nicht, bis Ihr Partner fertig ist und versuchen Sie, eine extreme (nicht unbedingt Ihre eigene) Stellung zu vertreten.

Themen:

- Heiraten ist doch altmodisch, oder?
- Kinder bekommen? Aber wozu denn?
- Studenten studieren nur deswegen Medizin, weil sie später viel Geld verdienen wollen.
- Konkurrenzverhalten kann man am besten lernen, wenn man als Kind viel Leistungssport treibt.

G. Wortschatzerweiterung. *(in Gruppen zu viert: Vorbereitung auf H)* Worüber reden Jugendliche? Jede Gruppe übernimmt einen Themenkreis und gebraucht ein deutsch-deutsches Wörterbuch, um die jeweiligen Vokabeln in einem kleinen Satz zu definieren oder sinnvoll zu verwenden. Vorsicht! Es gibt „falsche Freunde“, d.h. irreführende Parallelen: der Student = (nur) jemand, der an der Universität/Hochschule studiert, kein „Schüler“.

Themenkreis 1: Schule und Universität

- die Zensur/Note
- das Zeugnis
- die Ausbildung
- einen Kurs belegen
- das Hauptfach
- sich um einen Studienplatz bewerben
- an einem College zugelassen werden
- ein Examen bestehen
- in einem Examen durchfallen
- die Ferien

Themenkreis 2: Arbeit

- der Job/der Beruf
- Geld verdienen
- berufstätig
- das Gehalt
- der Lohn
- Spaß machen
- der Urlaub

Themenkreis 3: Freundschaften

- die Jugend (immer Singular)
- der/die Jugendliche
- der Kommilitone, die Kommilitonin
- der/die Bekannte
- der Freund, die Freundin
- der feste Freund, die feste Freundin
- der/die Verlobte
- heiraten
- verheiratet sein
- die Hochzeit
- die Ehe
- aufwachsen
- erwachsen sein

Themenkreis 4: Zukunftspläne

- die Vergangenheit
- die Gegenwart
- die Zukunft
- die finanziellen Verhältnisse
- die Karriere
- glücklich
- zufrieden
- selbständig
- wohnen/leben

H. Nicht den Faden verlieren! *(alle zusammen)* Ein Student wählt eins der obengenannten Themen, sagt etwas dazu und spricht einen anderen Studenten mit der Frage an: ,,John, was sagst du dazu"? John soll zuerst auf das Thema antworten und dann eine Bemerkung zu diesem oder einem anderen Thema machen.

z.B. SUSAN: ,,Ich werde nie heiraten. Heiraten ist dumm. John, was sagst du dazu?"
JOHN: ,,Nein, heiraten ist nicht dumm. Aber eine Familie kostet Geld. Meine Frau muß berufstätig sein. Ellen, was sagst du dazu?"

Stellen Sie nachher fest, zu wem Sie Kontakt gefunden haben (zu mindestens zwei anderen Studenten), und sagen Sie wieder jedem etwas, was mit ihm oder mit seinem Thema zu tun hat, z.B. John: ,,Susan, ich war anderer Meinung als du, aber du hast gut argumentiert. Ich habe von dir das Wort ,heiraten' wieder neu gelernt".

I. Wer bin ich? *(in Paaren)* Jedem Studenten wird ein Kärtchen mit dem Namen einer berühmten Persönlichkeit (Napoleon, Goethe, Mozart usw.) auf den Rücken geheftet. Sie wissen, wer Ihr Partner ist, aber Sie wissen nicht, wer Sie sind. Jeder soll über Dinge reden, die den anderen betreffen und ihn als die Person behandeln, die er darstellt. Sie dürfen auf keinen Fall seinen Namen nennen!

Wenn Sie zum Beispiel mit „Mozart" reden, könnten Sie sagen: „Oh, Sie haben aber eine schöne Perücke!" oder „Wie heißt denn Ihre nächste Oper?". Die andere Person versucht zu antworten, so gut sie kann, bis sie herausgefunden hat, wer sie selbst ist. Gleichzeitig wollen Sie herausfinden, wer Sie sind. Zeitgrenze: 4 Minuten.

J. Auf der gleichen Wellenlänge. *(in Paaren)* Student A denkt an eine wahre oder erfundene Anekdote aus seiner Schulzeit, die er B erzählen wird. Er notiert zuerst für sich:

1. Worum geht es in meiner Anekdote? Was ist das Thema?
   z.B. wie ich meinen Hund in die Klasse gebracht habe

   ____

2. Warum habe ich diese Anekdote gewählt?
   z.B. weil ich sie lustig finde

   ____

3. Welche Reaktion erwarte ich von B?
   z.B. ich erwarte, daß B lacht • mir glaubt • erstaunt ist • traurig ist • Mitleid/Interesse/Sympathie zeigt • weitere Fragen stellt • Kommentare gibt • seine/ihre eigenen Erinnerungen erzählt

   ____

A erzählt jetzt B seine Anekdote (3 Minuten). Dann notiert sich B folgendes:

1. Worum ging es in der Geschichte von A? (Was war das Thema?)

   ____

2. Warum hat A diese Anekdote gewählt? (Spekulieren Sie!)

   ____

3. Welche Reaktion hat er von mir erwartet?

   ____

A und B vergleichen ihre Notizen. Sind sie auf der gleichen „Wellenlänge"? B sucht sich jetzt einen anderen Partner und erzählt ihm seine Anekdote.

K. Rollenspiele. *(in Gruppen zu dritt)* Spielen Sie folgende Rollenspiele zu zweit. Ein Beobachter notiert, wie Sie beide zusammen das Thema des Gesprächs ausbauen und steuern. Zeitgrenze: 2 Minuten

1. Sie sind Reporter. Für die Schulzeitung interviewen Sie einen Studenten in Ihrer Klasse. Sie dürfen in dieser Zeit nur drei direkte Fragen stellen. Der Rest des Interviews soll aus Reaktionen, Kommentaren und Interpretationen bestehen.
2. Sie sind vierzig Jahre alt. Sie treffen unerwartet einen alten Schulfreund. Er möchte wissen, was Sie in der Zwischenzeit gemacht haben. Sie erzählen, was aus Ihnen geworden ist. Er hilft Ihnen mit Kommentaren und Interpretationen.

L. Wahrheit oder Lüge? *(alle zusammen)* Der Lehrer erzählt eine Anekdote, die er erlebt hat, aber er fügt erfundene Details hinzu. Während er spricht, notieren Sie sich, was Sie für die Wahrheit, was Sie für eine Erfindung halten.

Wahrheit	Erfindung
______	______
______	______
______	______
______	______
______	______

Besprechen Sie dann Ihre Notizen mit dem Lehrer. Woran haben Sie gemerkt, daß der Lehrer gelogen hat?

REDEN MITREDEN DAZWISCHENREDEN

M. Das Lieblingsthema. *(in Gruppen zu fünft)*

memo

DAS GESPRÄCH AUF EIN ALTES THEMA ZURÜCKSTEUERN

Dazu möchte ich was hinzufügen.	I'd like to add something to that.
Das ist auch eine Frage.	That's also a question.
Also, apropos (Kinder):	Well, speaking of (children):
Was . . . (Akk.) anbelangt . . .	As far as . . . is concerned . . .
Entschuldigung, wenn ich Sie unterbreche, aber . . .	Excuse me for interrupting, but . . .
Wie gesagt, . . .	As I was saying, . . .
Wie Sie vorhin gesagt haben . . .	As you were saying, . . .
Im Hinblick auf das, was Sie vorher gesagt haben . . .	In light of what you were saying before, . . .

In Gruppen finden „Cocktailparties" statt, wo jeder nur von seinem Lieblingsthema redet, z.B. Kinder, Mädchen, Jungen, Geld, Sport, Schule, Arbeit, Zukunftspläne, Fernsehen usw. Hören Sie den anderen gut zu, und finden Sie einen guten Augenblick, wo Sie „einsteigen" und von Ihrem Lieblingsthema reden können. Sie dürfen manchmal unterbrechen! Benutzen Sie die Vokabeln auf Seite 174/175 und die Redemittel zur Unterbrechung (Seite 170) und Steuerung (Seite 177). Eine Person in jeder Gruppe soll sich als „Beobachter" Notizen machen. Zeitgrenze: 4 Minuten.

z.B. **A:** „Viele Eltern benutzen das Fernsehen als Babysitter; das finde ich nicht gut." (Thema: Kinder)

Grober Themenwechsel:
B: „Moment mal, laβ mich reden!"

Höfliche Themensteuerung:
B: „Ja das ist es gerade, das Fernsehen hat manchmal gute, manchmal schlechte Programme." (Thema: Fernsehen)

Der Beobachter notiert, wie oft jeder von seinem Thema gesprochen hat und mit welchen Redemitteln er/sie das Wort ergriffen hat.

Das Ehepaar sitzt am Frühstückstisch. Der Ehemann hat sein Ei geöffnet und beginnt nach einer längeren Denkpause das Gespräch.

ER Berta!
SIE Ja . . .
ER Das Ei ist hart!
SIE *(schweigt)*
ER Das Ei ist hart!
SIE Ich habe es gehört . . .
ER Wie lange hat das Ei denn gekocht . . .
SIE Zu viel Eier sind gar nicht gesund . . .
ER Ich meine, wie lange dieses Ei gekocht hat . . .
SIE Du willst es doch immer viereinhalb Minuten haben . . .
ER Das weiß ich . . .
SIE Was fragst du denn dann?
ER Weil dieses Ei nicht viereinhalb Minuten gekocht haben *kann!*
SIE Ich koche es aber jeden Morgen viereinhalb Minuten!
ER Wieso ist es dann mal zu hart und mal zu weich?
SIE Ich weiß es nicht . . . ich bin kein Huhn!
ER Ach! . . . Und woher weißt du, wann das Ei gut ist?
SIE Ich nehme es nach viereinhalb Minuten heraus, mein Gott!
ER Nach der Uhr oder wie?
SIE Nach Gefühl . . . eine Hausfrau hat das im Gefühl . . .
ER Im Gefühl? . . . Was hast du im Gefühl?
SIE Ich habe es im Gefühl, wann das Ei weich ist . . .
ER Aber es ist hart . . . vielleicht stimmt da mit deinem Gefühl was nicht . . .
SIE Mit meinem Gefühl stimmt was nicht? Ich stehe den ganzen Tag in der Küche, mache die Wäsche, bring deine Sachen in Ordnung, mache die Wohnung gemütlich, ärgere mich mit den Kindern rum, und du sagst, mit meinem Gefühl stimmt was nicht!?
ER Jaja . . . jaja . . . jaja . . . wenn ein Ei nach Gefühl kocht, dann kocht es eben nur *zufällig* genau viereinhalb Minuten!
SIE Es kann dir doch ganz egal sein, ob das Ei *zufällig* viereinhalb Minuten kocht . . . Hauptsache, es *kocht* viereinhalb Minuten!
ER Ich hätte nur gern ein weiches Ei und nicht ein *zufällig* weiches Ei! Es ist mir egal, wie lange es kocht!
SIE Aha! Das ist dir egal . . . es ist dir also egal, ob ich viereinhalb Minuten in der Küche schufte!
ER Nein-nein . . .
SIE Aber es ist *nicht* egal . . . das Ei *muß* nämlich viereinhalb Minuten kochen . . .
ER Das habe ich doch gesagt . . .
SIE Aber eben hast du doch gesagt, es ist dir egal!
ER Ich hätte nur gern ein weiches Ei . . .
SIE Gott, was sind Männer primitiv!
ER *(düster vor sich hin)* Ich bringe sie um . . . morgen bringe ich sie um . . .

Name	Themeneinführung (was gesagt wurde)	wie oft

Nach der Cocktailparty soll jeder raten, was das Lieblingsthema der anderen war.

N. Das Schneeballspiel. *(in Gruppen zu dritt)* Was ist Ihre Vorstellung von Glück? Füllen Sie zwei Kärtchen aus; auf jedes schreiben Sie eine persönliche Definition von ,,Glück." (,,Glück ist für mich: . . . "). Alle Kärtchen werden eingesammelt und auf einen Haufen gelegt, aus dem Sie zwei Karten ziehen.

Diskutieren Sie in Gruppen, in welcher Rangfolge Sie Ihre sechs Karten ordnen wollen. Als Gruppe einigen Sie sich auf das Glück Nummer 1, Nummer 2 usw.

Danach bilden Sie noch größere Gruppen zu sechst, und einigen Sie sich auf eine Rangliste für zwölf Definitionen des Glücks. Vergleichen Sie Ihre Ranglisten mit der von anderen Gruppen.

Meine Gruppe stellt sich das Glück so vor:

1. ______
2. ______
3. ______
4. ______
5. ______
6. ______
7. ______
8. ______
9. ______
10. ______
11. ______
12. ______

O. Was nicht gesagt wurde. *(in Paaren)* Mit dem Kassettenrecorder nehmen Sie sich selber im Gespräch mit einem Partner auf (3 Minuten). Transkribieren Sie eine Minute des Gesprächs und rekonstruieren Sie, was Sie dabei gedacht haben. Spekulieren Sie darüber, was Ihr Partner gedacht hat.

BEISPIEL:

Gedacht wurde:	**Gesagt wurde:**
A. Ich weiß nicht, was ich sagen soll; ,,Guten Tag" ist ein sicherer Anfang.	Guten Tag, ich heiße John.
B. Gut, daß John angefangen hat, ich kann dieselben Wörter gebrauchen.	Guten Tag, ich heiße Betty.
A. Was sage ich jetzt? Am besten bitte ich um Hilfe.	Worüber sollen wir sprechen?
oder:	
A. Ich weiß nicht, was ich sagen soll; ,,Guten Tag" ist ein sicherer Anfang.	Guten Tag, ich heiße John.
B. So ein formeller Anfang! Ich kenne John schon! Ich werde etwas Interessanteres sagen, als nur ,,Guten Tag".	Guten Tag? Warum sagst du ,,Guten Tag"?
A. Betty will also ein Wortspiel machen? Gut, da mache ich mit!	Es ist doch Freitag, oder? Freitag ist immer ein guter Tag!

Gedacht wurde:	**Gesagt wurde:**
A. ____________________	____________________
B. ____________________	____________________
A. ____________________	____________________
B. ____________________	____________________
A. ____________________	____________________
B. ____________________	____________________
A. ____________________	____________________
B. ____________________	____________________
A. ____________________	____________________
B. ____________________	____________________
A. ____________________	____________________
B. ____________________	____________________
A. ____________________	____________________
B. ____________________	____________________

Vergleichen Sie Ihre Interpretation mit der Ihres Partners. Haben Sie seine Gedanken richtig erraten?

P. Was hast du gesagt? *(in Paaren am Telefon)* Rufen Sie einen Kommilitonen zu Hause an und sprechen Sie drei Minuten lang zusammen auf deutsch. Nehmen Sie Ihren Teil des Gesprächs mit dem Kassettenrecorder auf. Ihr Partner soll dasselbe tun.

In der Klasse tauschen Sie nun die Kassetten mit zwei anderen Studenten aus, die den fehlenden Teil des Dialogs rekonstruieren sollen. Sie selbst bekommen ebenfalls einen halben Dialog von einem Mitstudenten. Transkribieren Sie den Teil, der auf der Kassette ist, und rekonstruieren Sie den Rest.

Vergleichen Sie anschließend Ihren Text (Transkription und Rekonstruktion) mit der Originalaufnahme.

DAS RECHTE WORT ZUR RECHTEN ZEIT

Wissen Sie, was man in den folgenden Situationen sagen könnte?

Q. In der Klasse.

1. Der Lehrer gibt eine lange Erklärung: „Die Sache ist nämlich die . . .“. Sie möchten unterbrechen und etwas sagen:

   „______________________________“

2. Sie wollen das Wort ergreifen und etwas sagen. Wie machen Sie das?

   „______________________________“

3. Sie arbeiten in kleinen Gruppen und einer hat lange Zeit nichts gesagt. Was sagen Sie zu ihm, damit er am Gespräch teilnimmt?

   „______________________________“

R. Auf einer Fete.

1. Sie diskutieren mit anderen über die Sanierung eines älteren Stadtteils. Ein Gesprächsteilnehmer hat gerade unterbrochen und erzählt von einem tollen neuen Restaurant im gesagten Stadtteil. Sie möchten das Gespräch aber auf das ursprüngliche Thema zurücksteuern. Wie machen Sie das? Was sagen Sie?

   „______________________________“

2. In einem nicht sehr intimen Kreis wird über die Vorteile und die Nachteile der Eheschließung diskutiert. Das Wort „Kinder“ ist gefallen, und sie wollen jetzt das Gespräch auf das Thema „Kinder“ steuern. Was sagen Sie?

   „______________________________“

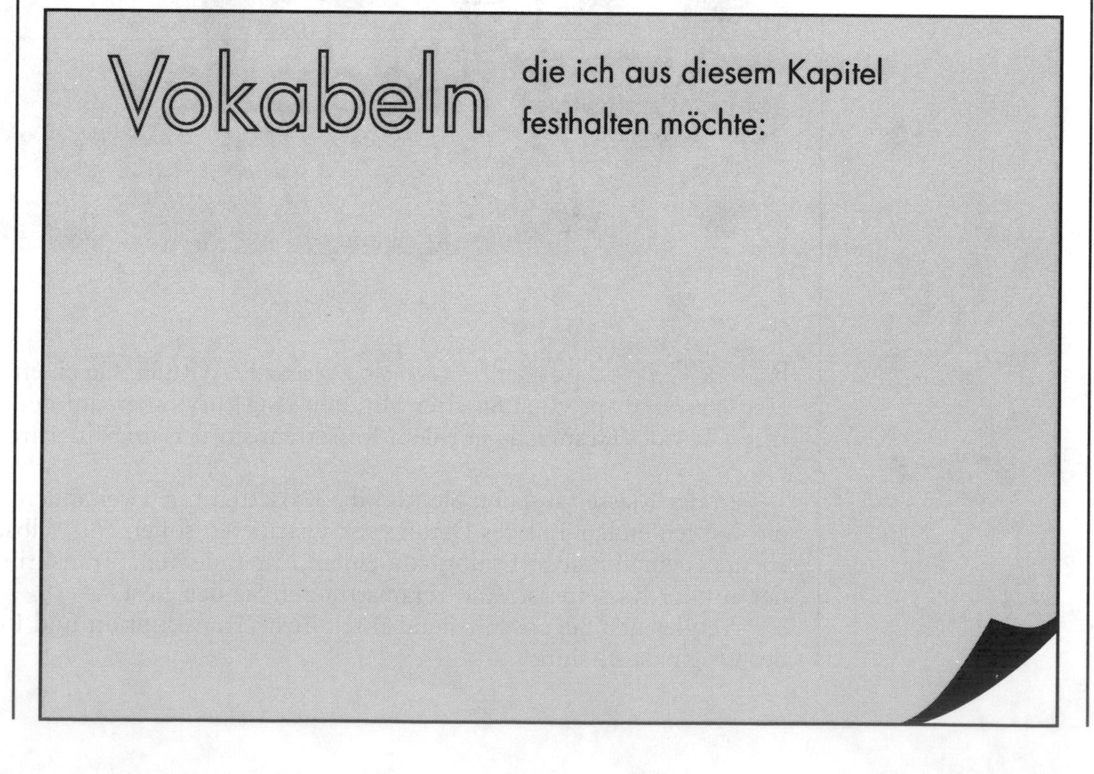
Vokabeln
die ich aus diesem Kapitel
festhalten möchte:

KAPITEL 10

DAFÜR UND DAGEGEN ARGUMENTIEREN

10

„Da hast du recht, nur ...“

HÖREN UND VERSTEHEN

Wie macht man das auf englisch?

A. A German-speaking colleague who has been at your university for a few months is still having difficulty in a history seminar following the points of discussion and presenting his own ideas. What kinds of signals do you listen for when you want to figure out how a speaker is organizing his thoughts? What expressions can you suggest that the speaker may use to give emphasis to certain ideas or strengthen contrasts?

signals indicating a new thought group:

___

___

___

expressions that clarify and strengthen contrasting ideas:

___

___

___

...

Auf dem Tonband hören Sie jetzt drei verschiedene Arten der Argumentation: einen politischen Vortrag, Werbespots im Fernsehen, ein persönlich vorgebrachtes Anliegen. In jedem Fall versucht der Sprecher, seine/n Zuhörer von der Stärke seiner Argumente zu überzeugen oder sie/ihn zu einer Handlung zu überreden.

GESPRÄCH 1

B. Der politische Vortrag wurde im Stil eines typischen Vortrags gehalten, allerdings spiegeln die Worte nicht unbedingt die Ideen der Autoren dieses Buches wider. Während Sie sich die Rede mehrmals anhören, schreiben Sie die Übungen zu Teil A und Teil B in Ihrem Buch.

TEIL A: Was hat er gesagt?

Markieren Sie, wo die Stimme des Redners sich hebt (↗) und senkt (↙) und welche Wörter oder Silben betont sind (ó). Markieren Sie auch die längeren Pausen (//). Notieren Sie kurz, zu den gegebenen Stichwörtern, was die wichtigsten Ideen des Redners sind.

„Atomkraft? Jawohl!"

Meine sehr verehrten Damen und Herren!

Eine lächerlich kleine Minderheit in unserem Land protestiert immer lauter gegen den Bau von Kernkraftwerken. Diese kleine Minderheit verlangt unter anderem, daß wir weniger Auto fahren, daß wir in der Industrie und in den Familien Energie sparen und daß der Staat die Erforschung der Sonnenenergie und die Entwicklung von Windkraftwerken unterstützt. Sie verlangt mit anderen Worten unser gutes Geld für total reaktionäre Projekte! Merken Sie denn gar nicht, was da passiert?

Stichwort: Minderheit protestiert gegen Kernkraftwerke

Atomkraftgegner verlangen: weniger Auto fahren

Eine subjektive Wertung: ____________________

Jedes kleine Kind weiß, daß die Atomkraft sauberer, schneller, praktischer und leistungsfähiger ist als jede andere Energiequelle und daß sie unsere Bedürfnisse besser erfüllen kann. Jene kleine Minderheit hingegen verkennt aber unsere Bedürfnisse, verachtet unsere Ideale, zerschlägt unsere Hoffnung auf eine bessere Zukunft für uns und unsere Kinder. Sie will das wirtschaftliche Wachstum, den hohen Lebensstandard, auf den wir mit Recht so stolz sind, durch ihre kindische Ideologie zerstören und unser Land in ein Agrarland verwandeln! Und Sie alle schlafen . . .

Welche Ausdrücke tragen eine stark *positive Wertung?*

____

Welche Ausdrücke tragen eine stark *negative Wertung?*

____

Meine Damen und Herren: Nur die Kernenergie kann uns vom arabischen Erdöl unabhängig machen und unsere nationale Selbständigkeit sichern. Nur große, überall angelegte Kernkraftwerke können unsere Umwelt gegen Luftverpestung und gefährliche Abgase schützen. Nur die Atomkraft kann uns die Freiheit geben, uns in einer freien Gesellschaft frei zu entfalten. (Beifall)

Stichwort: Die Atomkraft / Die Kernenergie kann ...

... Selbständigkeit sichern

Wo sehen Sie einen starken emotionellen Appell an den Hörer?

Gerade diese Selbständigkeit, diese reine Umwelt, diese Freiheit lehnt jene gefährliche Minderheit ab. Will denn niemand den Bundesbürger aufwecken? Jeder weiß, daß nur die Verbindung von technischem Wissen und politischer Weisheit den Frieden garantieren kann. Daher ist es höchst unlogisch, wenn jene radikale Minderheit behauptet, der Bau von Atomkraftwerken sei eine Gefahr für den Frieden. Ganz im Gegenteil: gerade jene radikale Minderheit ist es, die den Frieden im Lande bedroht. Wachen Sie auf! (Beifall)

Stichwort: Was ist die Gefahr?

Atomkraftgegner lehnen ab: Selbständigkeit

Atomkraftwerke =

Welches Bild zeichnet der Redner von den Kernkraftbefürwortern?

___

Meine Damen und Herren! Die Energiequellen der Welt sind nicht unerschöpflich. Wenn wir nicht rechtzeitig für die Zukunft sorgen, wird die Zukunft uns in erschreckendem Maße einholen. Wir brauchen deshalb neue Kernkraftwerke auf deutschem Boden, und zwar je schneller desto besser.

Stichwort:

Neue Energiequellen = je schneller desto besser

UMWELTVERSCHMUTZUNG

macht vor keiner Grenze halt !

Wir als junge Generation, die mit den heute verursachten Umweltproblemen zukünftig leben müssen, fordern eine drastische Verschärfung der EG-weiten Umweltgesetzgebung. Für den Binnenmarkt '92 wünschen wir uns, daß das europäische Umweltschutzniveau auf den bundesrepublikanischen Initiativen aufbauen wird.

TEIL B: Was hat er getan?

Welche rhetorischen Mittel gebraucht der Redner, um seine Argumentation überzeugender zu machen? Machen Sie Listen.

1. durch Redundanz:
   (. . .) uns in einer freien Gesellschaft frei zu entfalten.

   ___

   Markieren Sie, welches Wort von der Bedeutung her überflüssig ist.
2. durch Wiederholung:
   nur die Kernenergie, nur die Kernkraftwerke, nur die Atomkraft

   ___

3. durch direkte Anrede:

   Meine Damen und Herren (wie oft? ________)

   Merken Sie (. . .) passiert? ______________________________

   ____

4. Wie macht der Redner seinem Publikum klar, daß es für dieses Problem nur eine einzige Lösung gibt?

   ____

   ____

TEIL C: Wie kann man das noch sagen? *(zusammen mit der Klasse)*

Lesen Sie nun die Rede selber mit lauter Stimme vor, und versuchen Sie, ein Gefühl für den Rhythmus der Sprache zu bekommen.

GESPRÄCH 2

C. Hören Sie sich vier Werbespots aus dem deutschen Fernsehen mehrmals an, während Sie die Übungen zu Teil A und Teil B schreiben.

TEIL A: Was haben sie gesagt?

Für welche Ware wird die Werbung gemacht? Welche Wörter sollen überzeugend wirken? (Adjektive, Verben, Adverbien, Redewendungen)

	die Ware	wirkt überzeugend:
1.	________	______________________________
2.	________	______________________________
3.	________	______________________________
4.	________	______________________________
5.	________	______________________________

Transkribieren Sie einen Werbespot und zeichnen Sie die Intonationskurven der Stimme nach:

z.B. Intonation:

Text: Maggi, die reiche, klare

Intonation:
Text: ______________________________

Intonation:
Text: ______________________________

Intonation:
Text: ______________________________

TEIL B: Was haben sie getan?

In der Werbung werden bestimmte rhetorische Mittel gebraucht, mit der Hoffnung, daß jeder Zuhörer/Zuschauer sich die Stichwörter merken wird.

1. Suchen Sie Beispiele von Alliteration, wie z.B. **Sch**auma **Sch**ulfest:

   ____

   Pizza: ____

2. Suchen Sie Beispiele von Redundanz, wie z.B. die **reiche** Klare: **schmeckt besser** / **bereichern**

   ____

3. Suchen Sie Beispiele von Wiederholung, wie z.B. Irischer **Frühling** / **Frühling**sbrise

   frisch ____

   etwas **Neues:** ________________/ ________________/ ________________

   ____

GESPRÄCH 3

D. Fräulein Kunold bewirbt sich um eine Stelle als Schornsteinfegerin. Herr Baldauf bezweifelt, daβ sie für diesen Beruf geeignet ist. Hören Sie sich das Gespräch mehrmals an während Sie die Übungen zum Teil A und Teil B im Buch schreiben.

TEIL A: Was haben sie gesagt?

Ergänzen Sie folgende Abschnitte aus dem Transkript.

JB: Ja, schön' guten Tag, Frau Kunold. Also, ______________________________

______________, *ich bin sehr überrascht, eine Frau zu sehen. (. . .) bitten würden*

HK: *Hm, warum sind Sie so erstaunt, also.* ______________________

______________, *es sind . . . es ist eigentlich von früher her ein Männerberuf,*

______________________________, *daß ich das genau so machen kann.*

JB: *Aber entschuldigen Sie bitte,* ______________________________,
daß ein– dieser ganze Dreck, mit dem ein Schornsteinfeger zu tun hat, nichts für eine Frau ist.
(. . .)

HK: *Also* ______________________________, *ob das jetzt ein Mann ist oder eine Frau.* ______________________, *ich habe festgestellt, daß ich durch diese engen Schornsteine manchmal sehr gut– (. . .) Schauen Sie mich an, also*

JB: *Aber* ______________________________, *daß Frauen nicht so stark sind wie Männer. Und* ______________________________,
daß Sie bei weitem nicht so viel leisten können, wie ein gut gebauter Mann, der tagein tagaus mit der Leiter und dem ganzen Material durch die Straßen ziehen kann.

HK: *Entschuldigung, daß ich Sie da unterbreche,* ______________________

______________, *daß ich genug Muskelkraft habe, um diesen Beruf auszuüben.*

JB: ______________________________, *so kann ich Sie einfach nicht auf die Kollegen loslassen. Was bedeutet das denn, wenn wir plötzlich eine Frau in einem reinen Männerkollegium haben?*
(. . .)

HK: *Ah,* ______________________________. *Also, ich würde sehr gerne eine– so eine Probezeit für ein paar Monate bei Ihnen mal machen. (. . .)*

JB: *Was werden denn meine Kunden sagen?* ______________________, *daß sie völlig mißtrauisch einer Frau gegenüber sind, die einen reinen Männerberuf ausübt.*

HK: *Ja, wissen Sie, und* ______________________________, *also ich bin unverheiratet und habe keine Kinder, (. . .) Also– ich bin sehr selbständig.*

JB: ______________________________ *gar keine so große Rolle.*

______________________ *Sie sagten, Sie haben zwei Jahre in diesem Beruf gearbeitet?*
(. . .)

TEIL B: Was haben sie getan?

Welche Redemittel gebraucht Fräulein Kunold, in ihrem Versuch Herrn Baldauf zu überzeugen?

z.B. „*Also ich muß Ihnen sagen . . .* "

______________________ ______________________

______________________ ______________________

______________________ ______________________

______________________ ______________________

______________________ ______________________

Welche Redemittel gebraucht Herr Baldauf, um seine Argumente vorzubringen?

z.B. „*Ich zweifle nicht an (Ihren guten Motivationen) aber . . .*"

______________________ ______________________

______________________ ______________________

______________________ ______________________

REDEN

E. Werbespot. *(Gruppen zu dritt)* Sie sind Berater bei einer amerikanischen Werbefirma. Wählen Sie ein amerikanisches Produkt, das Sie in Deutschland verkaufen möchten. Sie können Deutsch und Sie kennen die deutsche Mentalität (siehe Werbespots S. 188 und alles, was Sie über die Deutschen gelernt haben). Spielen Sie vor der Klasse einen zwei Minuten langen Werbespot, der im deutschen Fernsehen gesendet werden soll.

Amerikanisches Produkt: ______________________

Szenario: ______________________

____

____

____

____

F. Rollenspiele. *(Gruppen zu dritt oder zu viert)* In den folgenden Situationen versucht jemand, einen anderen zu einer bestimmten Handlung zu überreden. Ein Beobachter notiert sich die Redemittel, die zur Überredung verwendet wurden. Zeitgrenze: 2 Minuten.

1. Sie brauchen das Familienauto, um mit Ihrer Freundin auszugehen. Ihr Vater hat seine Gründe, Ihnen das Auto nicht leihen zu wollen. Sie versuchen, Ihren Vater zu überzeugen, daβ er Ihnen ruhig das Auto leihen kann.
2. Sie haben eine Vier in Ihrem Hauptfach bekommen. Sie meinen, der Lehrer hätte irrtümlicherweise Fehler angerechnet, wo es keine gab. Sie versuchen, den Lehrer zu überreden, die Zensur zu ändern.
3. Sie bewerben sich als Frau um eine Arbeit bei der Müllabfuhr. Sie versuchen dem Arbeitgeber klarzumachen, daβ Frauen auch gute Müllkutscher sein können.
4. Sie müssen vor Ablauf Ihres Mietvertrages unerwartet ausziehen. Sie überreden einen Freund, Ihre Wohnung zu übernehmen.
5. Sie fahren morgen auf vierzehn Tage in Urlaub und überreden Ihren Nachbarn, Ihre Pflanzen zu gieβen. Er ist nicht gerade begeistert.
6. Zu viert oder fünft: Sie sind alle zu einer Party eingeladen. Sie versuchen alle, einen gemeinsamen Freund zum Mitkommen zu überreden. Er macht allerlei Einwände dagegen.

REDEN MITREDEN

G. Der Redner und seine Zuhörer.

memo

NÜTZLICHE REDEMITTEL DER ÜBERZEUGUNG

Wiederholungen, wie z.B. ,,bessere Schulen, bessere Häuser, bessere Sportanlagen . . . "

Aufzählung nach *und zwar,* z.B.: ,,das Gemeinwohl, und zwar: reinere Luft, bessere Häuser, schönere Städte, gröβere Ausbildungschancen usw."

Rhetorische Fragen, z.B. ,,Und warum gibt es noch Armut und Elend unter uns? Weil wir immer noch nicht . . . "

Wiederholung der Anrede im Laufe der Rede

Wählen Sie eine Gruppe von Zuhörern mit der passenden Anredeform:

- Besucher im Kindergarten (,,Meine lieben Kinder!")
- Wissenschaftler bei einem internationalen Kongreβ (,,Sehr geehrte Damen und Herren!")
- Präsidentschaftskandidat vor seinen Wählern (,,Mitbürgerinnen, Mitbürger!")
- Pfarrer in der Kirche (,,Liebe Gemeinde!")

- Offizier vor der Truppe („Soldaten!“)
- Chef vor seinen Mitarbeitern („Liebe Kolleginnen und Kollegen!“)
- Trainer vor seiner Fußballmannschaft („Kameraden, Mitkämpfer!“)
- Vater vor seinen Kindern („Liebe Kinder!“)
- Bürgermeister vor dem Stadtrat („Sehr verehrte Damen und Herren des Stadtrats!“)
- Direktor der Schule vor den Schülern („Liebe Schülerinnen, liebe Schüler!“)

Schreiben Sie für diese Zielgruppe eine kurze Rede (fünf bis sechs Sätze) mit den folgenden Leitgedanken:

- Wir müssen alle für das Gemeinwohl arbeiten.
- Allein können wir nichts erreichen.
- Aber wenn wir alle zusammen anpacken, können wir eine bessere Gesellschaft und eine humanere Welt schaffen.
- Allerdings kostet das Mühe und Selbstlosigkeit.
- Aber am Ende profitiert jeder Einzelne davon, daß die Verhältnisse besser geworden sind.
- Und so kann jeder sich auch frei entfalten—ein freier Mensch in einer freien Gesellschaft.

Versuchen Sie, Ihre Rede in Wort und Stil Ihren Zuhörern anzupassen, d.h., drücken Sie diese Gedanken in Worten aus, die Ihre Zuhörer verstehen können. Fügen Sie passende Beispiele und Details hinzu.

Zielgruppe: ____________________

Anrede: ____________________

Erster Satz: ____________________

____

____

Letzter Satz: ____________________

____

Halten Sie Ihre Rede vor der Klasse stehend und mit überzeugender Stimme. Schauen Sie Ihre Zuhörer soviel wie möglich an! Ihre Zuhörer sollen sagen, was überzeugend, was nicht überzeugend gewirkt hat.

H. Assoziogramme. *(Vorbereitung auf I: Debatten)* Welche Vokabeln brauchen Sie, um über ein Thema wie z.B. „Umweltschutz“ zu sprechen? Welche Gedanken oder Wörter assoziieren Sie mit den folgenden Themen?

Arbeiten Sie in Gruppen zu zweit mit einem deutsch-deutschen Wörterbuch. Jede Gruppe übernimmt ein Thema und versucht, mindestens fünf Vokabeln zu sammeln, die mit diesem Thema zu tun haben. Schreiben Sie das Wort auf, und erklären Sie seine Bedeutung auf deutsch.

Thema	Vokabeln	Bedeutung
____________	____________	____________
	____________	____________
	____________	____________
	____________	____________
	____________	____________

Tragen Sie in das Assoziogramm die Vokabeln ein, die die anderen Gruppen gesammelt haben.

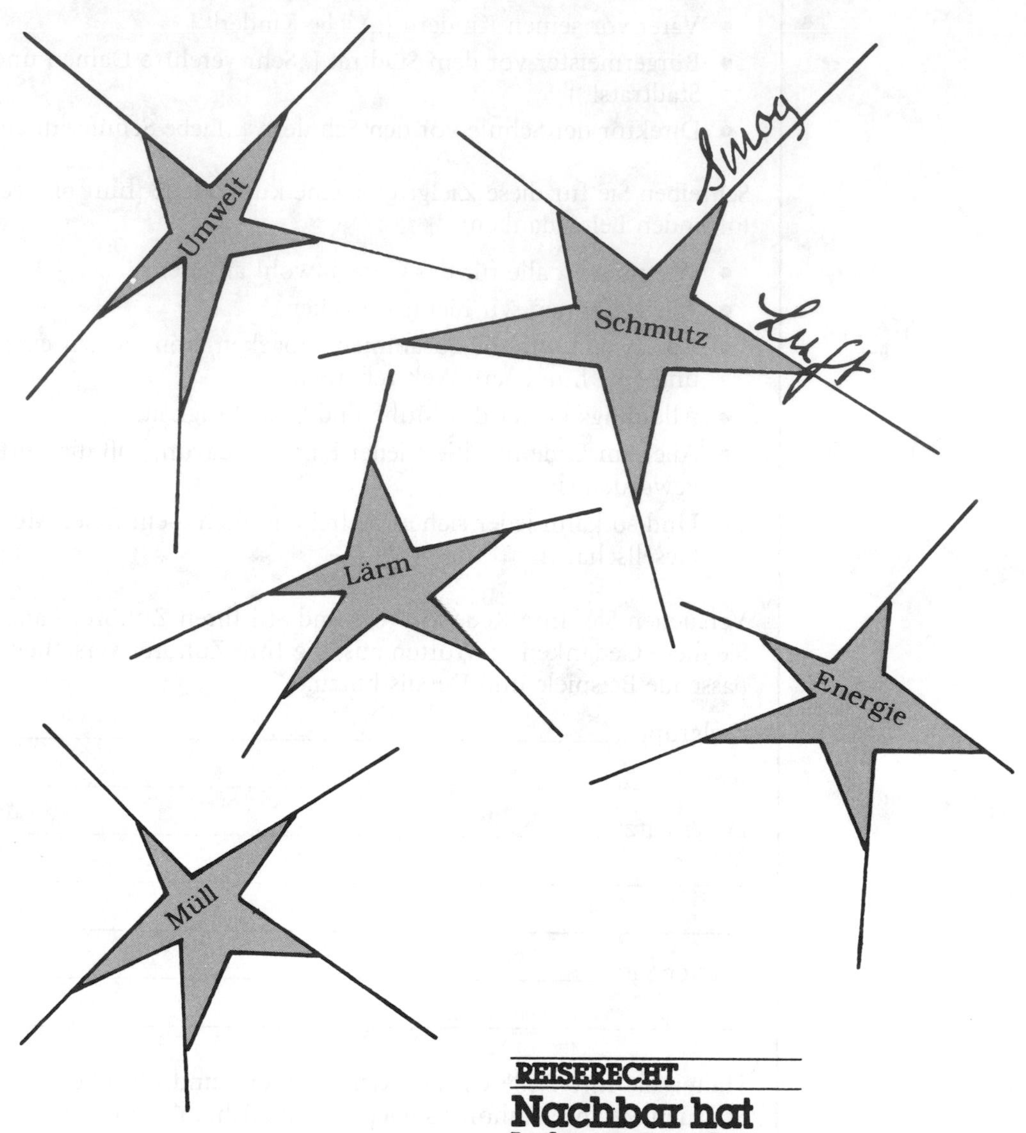

REISERECHT

Nachbar hat leise zu sein

Pauschalreisende, die sich im Urlaub durch den Lärm ihrer Zimmernachbarn erheblich gestört fühlen, können vom Reiseveranstalter einen Teil des Preises zurückverlangen. Dies gilt nicht nur, wenn Zimmernachbarn in den Ruhezeiten ständig Lärm verursachen, sondern auch dann, wenn bei einer Schiffsreise in der Nachbarkabine untergebrachte Reisende bis spät in die Nacht hinein laut streiten und schimpfen. Der Reiseleiter muß bemüht sein, derartigen Lärm durch »Belehrung oder Umquartierung« zu beheben. (Oberlandesgericht Köln, Aktenzeichen: 17 U 30/1982)

1. Debatten. *(in Paaren)* Zusammen mit einem Partner wählen Sie ein Debattierthema.

- Olympische Spiele: Pro und kontra.
- Fernsehen für Kinder: Gut oder schlecht?
- Mord und Gewalttätigkeit im Fernsehen: Gut oder schlecht?
- Religionsunterricht in der Schule: Ja oder nein?
- Todesstrafe: Für und wider.
- Rauchverbot in allen Flugzeugen: Ja oder nein?
- Sexualkundeunterricht in der Schule: Pro und kontra.
- Recht auf Waffenbesitz: Argumente dafür und dagegen.
- Hat die Filmindustrie eine Verantwortung, die Bürger zu erziehen oder soll sie nur unterhalten?
- Darf die katholische Kirche die Atomwaffenaufrüstung öffentlich verurteilen?
- Soll eine Fremdsprache Pflichtfach an allen amerikanischen Schulen sein?
- Soll Englisch als Nationalsprache der USA in die amerikanische Verfassung aufgenommen werden?
- Sollen Privatschulen und private Universitäten in den USA vom Staat unterstützt werden?
- Ist es richtig, daβ Sportler in den USA solche hohen Gagen bekommen?
- (ein Debattierthema Ihrer Wahl)

Wohin mit dem Müll?

Ständig wachsende Müllberge belasten unsere Umwelt, verschmutzen unsere Straßen und bringen Mülltonnen zum Überlaufen. Dabei gibt es viele Möglichkeiten, Müll zu vermeiden oder einer sinnvollen Wiederverwertung zuzuführen (= Recycling). Mit diesem Plakat möchten wir die Bewohner von SO 36 über diese Möglichkeiten informieren. Bitte nutzen Sie diese! Die Abgabe ist kostenlos! Weitere Exemplare dieses Plakats erhalten Sie kostenlos beim Verein SO 36, jeweils wochentags von 10 bis 18 Uhr. Bitte lassen Sie dieses Plakat in Ihrem Hausflur hängen!

1. Glas

Sauberes Altglas ist kein Müll, sondern Rohstoff. Glas macht etwa ein Viertel des Hausmülls aus. Überall im Stadtteil stehen Glascontainer (die Sie bitte aber nicht nachts benutzen!) Außerdem kann Glas abgeliefert werden bei:
Recycling-Hof Fa. Meyer, Cuvrystr. 51, 1-36
Montag – Freitag 7 bis 15 Uhr
BSR Paul-Lincke-Ufer 18, 1-36
Montag bis Freitag 6 bis 14.30 Uhr
Sie können bei der BSR für Ihre Hausnummer eine Glastonne bestellen.
Am besten: Erst gar keinen Glasabfall entstehen lassen, sondern wieder Pfandflaschen einkaufen!

2. Papier / Pappe

Altpapier und -pappe kann zu Umweltschutzpapier wiederverarbeitet werden. Das erspart vielen Wäldern das Abholzen und den riesigen Wasserverbrauch, der bei der Papierherstellung anfällt. Bitte abliefern bei:
Recycling-Hof Fa. Meyer oder bei der BSR
(Adressen und Öffnungszeiten siehe unter: Glas)
Sie können bei der BSR für Ihre Hausnummer eine Papiertonne bestellen

3. Altöl

1 Liter Altöl verschmutzt 1 Million Liter Grundwasser!
Deshalb wird das illegale Ablassen von Altöl am Straßenrand oder auf dem Görlitzer Bahnhof mit mehreren tausend DM Geldbuße bestraft! Altöl unbedingt abliefern bei einer **Tankstelle** oder bei der **BSR, Paul-Lincke-Ufer 18, 1-36**
Montag bis Freitag 6 bis 14.30 Uhr

4. Sperrmüll

Sperrmüll gehört nicht auf die Straße oder den Görlitzer Bahnhof! **Sperrmüll wird von der BSR kostenlos abgeholt!** Die Wartezeit beträgt etwa 3 Wochen. Bitte **Tel. 756 61 00** anrufen und die Menge mitteilen. Der Abholtermin wird dann mitgeteilt.

5. Kompost

Kompostierung ist eine Zersetzung von organischem Material (Laub, Küchenabfälle) durch Mikroorganismen und Bodenbewohner wie Regenwürmer. Nach 6 Monaten ist ein Bodenverbesserungsmittel fertig, den Sie als Dünger nehmen können. Sie können damit mit dem Bauen eines Kompostkastens in Ihrem Garten anfangen. Weitere Informationen beim Verein SO 36, 1-36, Wrangelstr. 40.

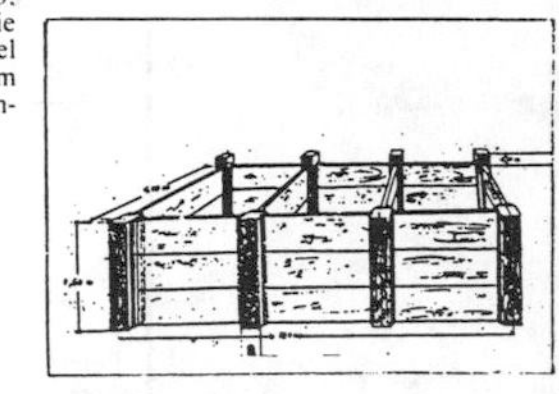

6. Sonder-/Giftmüll

In Zukunft führt die BSR wieder Sondermüllaktionen am Paul-Lincke-Ufer durch. (Der nächste Termin wird noch bekanntgegeben.) Bis dahin sollten Sie folgende Abfälle zunächst sammeln:

- Chemikalien
- Lackreste, Farben
- Reinigungsmittel
- Batterien
- Klebstoffe
- Holz- und Pflanzenschutzmittel

Medikamente (können aber auch in Apotheken abgegeben werden.)

Metalle und Kunststoffe können bei der Fa. Meyer, Cuvrystr. 51 abgegeben werden

Herausgeber: Stadtteilausschuß SO 36, Arbeitsgruppe Recycling; Wrangelstr. 40, 1-36; Tel. 612 60 30.

Jeder übernimmt einen Standpunkt dafür oder dagegen. Bereiten Sie drei Argumente zur Unterstützung Ihres Standpunktes vor.

Debattierthema: ____________________ Standpunkt: ____________________

Argument 1: ____

Argument 2: ____

Argument 3: ____

J. „Jedes Ding hat seine zwei Seiten".

memomem

Das Problem liegt darin, daß . . .	The problem is that . . .
Es besteht ein Konflikt zwischen (Dat.) und (Dat.)	There is a conflict between . . . and . . .
An und für sich . . .	Essentially . . .
In mancher/dieser Hinsicht . . .	In many respects /In this respect . . .
Ich bin fest davon überzeugt, daß . . .	I am convinced that . . .
Im Gegensatz zu (Dat.) . . .	In contrast with . . .
Im Vergleich zu . . .	As compared to . . .
Insofern als . . .	In so far as . . .
Mit anderen Worten . . .	In other words . . .
Im großen und ganzen . . .	On the whole . . .
Im allgemeinen . . .	In general . . .
Abschließend kann man sagen, daß . . .	In conclusion we can say that . . .

Wählen Sie eins von den Debattierthemen (in *I: Debatten*) und sammeln Sie Argumente dafür und dagegen durch eine telephonische Umfrage unter anderen Deutschstudenten und –lehrern. Tragen Sie dann die Ergebnisse Ihrer Umfrage in der Klasse vor!

Eine Umfrage zum Thema:

____

Argumente DAFÜR	**Argumente DAGEGEN**
____________________	____________________
____________________	____________________
____________________	____________________
____________________	____________________
____________________	____________________
____________________	____________________
____________________	____________________
____________________	____________________

K. Die Debatte. *(in Gruppen zu dritt)* Bei einer deutschen Debatte werden nicht alle Argumente der einen Seite, dann alle Argumente der anderen Seite vorgetragen, sondern A bringt sein Argument vor, und B kontert sofort mit einem Gegenargument. Sobald einer mit dem Argument des anderen nicht einverstanden ist, und er einen Übergang zu seinem eigenen Argument finden kann, darf er den Partner unterbrechen.

Führen Sie nun eine solche Debatte über das gewählte Thema. Sie dürfen Ihre Notizen vor sich haben, Sie dürfen aber nicht Ihre ganze Argumentation ablesen! Ein Beobachter notiert sich mit Stichworten die Argumente der beiden Seiten (siehe Kapitel 9: *Lieblingsthema*). Zeit: 5 Minuten.

Oft merkt man erst bei einer Debatte, welche Argumente die Gegenseite hätte bringen können und nicht gebracht hat. Wechseln Sie nach fünf Minuten die Rollen. Sie übernehmen jetzt den Standpunkt Ihres Partners und versuchen, bessere Argumente als Ihr Partner zu finden. Zeit: 5 Minuten.

Zum Schluß faßt der Beobachter die Argumente der zwei Debattierer zusammen und fügt eventuell noch Argumente hinzu, die nicht erwähnt wurden.

BEOBACHTERBLATT

Argumente der einen Seite:

____

____

____

Argumente der anderen Seite:

____

____

____

Andere mögliche Argumente:

____

____

____

L. Debatte mit Publikum. Dieselben Debatten über ein gegebenes oder frei gewähltes Thema werden vor der ganzen Klasse geführt. Zeitgrenze: 5 Minuten pro Debattenteam.

Nach jeder Debatte sollen die Zuhörer weitere Argumente zur Unterstützung des einen oder des anderen Partners vorbringen. Es folgt eine allgemeine Diskussion.

ZUHÖRERBLATT

Debattenthema:	**Was ich zu diesem Thema sagen möchte:**
______________________	______________________
______________________	______________________
______________________	______________________

M. Debattenwettkampf. Bei Debatten, die vor der ganzen Klasse geführt werden, werden drei Schiedsrichter gewählt, die jedem Debattenteam nach der Debatte eine bestimmte Punktzahl geben. Jeder Richter bekommt zehn Karten mit den Zahlen von 1 bis 10 und muß eine dieser Karten gleichzeitig mit den anderen Richtern hochhalten. Das Team, das die höchste Punktzahl bekommt, hat gewonnen.

Kriterien für die Beurteilung:

- Stärke der Argumente
- Kommunikationsfähigkeit der beiden Partner (Wortschatz, Redefluß)
- Partnerbezogenheit der Argumente

N. Im Spiegel der anderen. In Gruppen zu viert oder fünft wählen Sie ein Gesprächsthema (siehe Debattierthemen). Während der Diskussion (15 Minuten) notieren zwei Beobachter die Art und Weise, wie die Gesprächspartner das Wort ergriffen haben und wie sie das Gespräch gesteuert haben.

Variante: Je eine Hälfte der Klasse übernimmt die beiden Beobachterrollen, während eine Gruppe von Studenten vor der ganzen Klasse diskutiert.

Beobachter A

Bitte notieren Sie so viel Sie können, während die anderen reden. Nicht das, was sie sagen, ist wichtig, sondern wann, wie, zu wem und wie oft sie sprechen!

NAMEN	DER GESPRÄCHSPARTNER:		
WER SPRICHT?	ZU WEM?	NACH WEM?	WIE ERGREIFT ER/SIE DAS WORT?*

* MIT WELCHEN WORTEN?

Zusammenfassung: Wie hat jeder an der Diskussion teilgenommen?

____

____

Beobachter B

Bitte notieren Sie so viel Sie können, während die anderen reden. Nicht das, was sie sagen, ist wichtig, sondern das, was sie mit ihren Worten tun (siehe Kapitel 1), z.B.:

1. mit Worten zeigen, daß man zuhört („ja, ja, wirklich?")
2. um Erklärung bitten („wie war das bitte?")
3. anderen helfen („du meinst: . . . ")
4. neue Argumente bringen
5. sich wiederholen, um Zeit zu gewinnen

6. andere nach ihrer Meinung fragen
7. um Hilfe bitten („wie sagt man: . . . ")
8. auf Ideen anderer aufbauen („wie du gesagt hast")
9. Kommentare geben („das ist eine gute Idee, du hast recht")
10. zusammenfassen, was andere gesagt haben

	NAMEN DER GESPRÄCHSPARTNER:	
WER SPRICHT?	WAS HAT ER/SIE GESAGT	GETAN

Zusammenfassung: Wie hat jeder an der Diskussion teilgenommen?

___

___

___

Nach 15 Minuten besprechen die Beobachter, was sie notiert haben und fassen ihre Beobachtungen zusammen. Währenddessen füllt jeder Gesprächspartner sein Teilnehmerblatt aus.

Teilnehmerblatt

Jeder hat seinen eigenen Stil, wenn er/sie mit einer Gruppe diskutiert. Wie haben Sie am Gespräch teilgenommen? Nicht das, was Sie gesagt haben, ist hier wichtig, sondern *was* Sie mit Ihren Worten *getan* haben (Siehe oben).

Meine Teilnahme: ______________________________

____

____

Wie haben die anderen Ihrer Meinung nach am Gespräch teilgenommen?

Name: ______________ ______________

Name: ______________ ______________

Name: ______________ ______________

Name: ______________ ______________

Welche Rolle hat Ihrer Meinung nach jeder in der Gruppe übernommen? Vor der Gruppe sollen jetzt die Beobachter berichten, was sie beobachtet haben, und jeder Gesprächspartner seine eigenen Beobachtungen mitteilen. Als Gruppe ermitteln Sie für jeden Partner, wo seine Stärke in der Gesprächsführung ist.

Name:	Stärke in der Gesprächsführung:
______________	______________
______________	______________
______________	______________
______________	______________

REDEN MITREDEN DAZWISCHENREDEN

O. Wortschatzerweiterung. *(Vorbereitung auf P, Q)* Diskussionsthema Nr. 1 ist in der Bundesrepublik der Umweltschutz. Der Text auf S. 202 enthält eine Reihe von Vokabeln zum Thema Lärmbelästigung. Hier sind ein paar weitere, die Sie vielleicht noch nicht kennen. Finden Sie die entsprechenden englischen Ausdrücke.

- jemand schützen
- belästigen
- der Lärm
- die Lautstärke
- der lautstarke Motor
- die Umwelt
- die Ursache
- ein Recht haben auf (+ Akk.)
- lautstark
- Maßnahmen gegen etwas ergreifen
- jemanden zu etwas zwingen
- der Rasenmäher
- den Rasen mähen
- Lärm erzeugen
- Lärmschäden verursachen
- den Lärm bekämpfen

Luise Schulz
Prinz-Ferdinandstraße 86
415 Krefeld
Tel. 77 33 48

Krefeld, den 15.6.1984

Herrn Bürgermeister
Reinhardt Maier
Rathaus
415 Krefeld

Betrifft: Beschwerde über Nachbarn

Sehr geehrter Herr Bürgermeister,
ich möchte mich mit einer Beschwerde an Sie wenden, da ich ohne Erfolg alles andere versucht habe.

In unserer Stadt ist das Rasenmähen mit lautstarken Motormähern werktags von 8 bis 12 und von 15 bis 19 Uhr erlaubt, an Samstagen nur bis 17 Uhr und an Sonntagen überhaupt nicht.

Meine Nachbarn kümmern sich aber gar nicht um diese Regelung. Sie mähen ihren Rasen mit ihren stinkenden, ohrenbetäubenden Motoren zu jeder Stunde, Tag und Nacht. Als ältere Rentnerin halte ich gern ab und zu einen Mittagsschlaf und gehe abends gern früh ins Bett. Ich kann das schon seit Wochen nicht mehr.

Da meine Nachbarn nichts dagegen tun wollen, bitte ich Sie nun als Bürgermeister, mir zu helfen.

Mit freundlichen Grüßen,

Luise Schulz

P. Heißes Thema. *(in zwei Gruppen)*

memome

gerade aus dem Grunde, weil . . .	precisely because . . .
das liegt vor allem daran, daß . . .	this is due mainly to the fact that . . .
gerade darum ist es wichtig . . .	that's why it is so important that . . .
allerdings/zwar . . . aber . . .	it is true that . . . but . . .
es ist absolut unerläßlich, daß . . .	it is absolutely necessary that . . .
wir müssen unbedingt . . .	we absolutely have to . . .
Lärm ist bekanntlicherweise . . .	we know that noise is . . .
wir müssen offensichtlich . . .	is obvious that we must . . .
die Sache ist die: . . .	one thing is clear: . . .
entweder wir . . . oder wir . . .	either we . . . or else we . . .

Sonntag, 26. März 1989

Garten und Umzug – zwei Urteile deutscher Gerichte

fs Hannover/Essen

Wenn Wurzeln von Bäumen und Büschen eines Gartens schon mehrere Jahre in den Garten eines Nachbargrundstücks hineinwachsen, brauchen diese Wurzeln nicht entfernt zu werden. Dies entschied jetzt das Amtsgericht Hannover. Das Gericht verlangt in seinem Urteil jedoch entlang der gemeinsamen Grundstücksgrenze einen 80 Zentimeter tiefen Graben, um „künftig solche Fälle möglichst zu vermeiden". (AZ: 536 C 20414/89).

Das Amtsgericht Essen verhängte 150 Mark Bußgeld wegen Störung der Nachtruhe gegen einen Mieter, der seinen Umzug in eine andere Wohnung in die Zeit zwischen 23 Uhr und vier Uhr früh verlegt hatte. Nachbarn hatten den Mann angezeigt. Die Richter nannten den Umzug zu nächtlicher Stunde einen „nicht unerheblichen Angriff auf das Ruhebedürfnis der Mitbewohner".

Es gibt in Ihrer Stadt zwei heiβ debattierte Projekte: a) die Einführung geregelter Mähzeiten für lautstarke Rasenmäher; b) der Bau eines neuen Flughafens in Ihrer Nähe.

Jede Klassenhälfte übernimmt eins der Projekte und bildet zwei Bürgerinitiativen, eine für, die andere gegen das Projekt. Beide Gruppen sollen vor der anderen Klassenhälfte (dem Stadtrat) Ihre Meinung vertreten. Am Ende entscheidet der Stadtrat für oder gegen das Projekt.

Jeder Student ist Mitglied einer Bürgerinitiative und vertritt die Interessen einer bestimmten Bevölkerungsgruppe, z.B.

Projekt: geregelte Mähzeiten

Standpunkt:	**dafür:**	**dagegen:**
Interessenvertreter:	Bürgermeister	Gartenbesitzer
	Arzt	Rasenmäherfirma
	Rentner	konservativer Politiker

Projekt: neuer Flughafen

Standpunkt:	**dafür:**	**dagegen:**
Interessenvertreter:	Lufthansa	Einwohner
	Reisebüro	Krankenhaus
	Bürgermeister	Umweltschützer

a) Tragen Sie Ihr Projekt auf der nächsten Seite ein und diskutieren Sie mit den anderen in Ihrer Gruppe, welche Argumente Sie für Ihre Sache vorbringen werden. Ihre Rede soll zwei Minuten lang sein. Wichtig ist, daβ Sie einen überzeugenden ersten und letzten Satz haben, und überzeugende Redemittel gebrauchen!

Projekt:

Mein Standpunkt:

Interessenvertreter:

Meine Argumente:

____

____

____

____

____

____

Erster Satz: __________________________________

____

____

____

Letzter Satz __________________________________

____

____

____

b) Die Bürgerinitiativen für Projekt A tragen Ihre Argumente vor. Jeder Bürger steht auf und kann zwei Minuten lang seinen Standpunkt vertreten.

c) Die Stadträte stimmen jetzt mit erhobener Hand für oder gegen das Projekt. Am Ende soll jeder Stadtrat erklären, welches Argument für ihn/sie ausschlaggebend war und warum.

d) Projekt B wird auf dieselbe Art und Weise behandelt.

Q. Argumentativer Aufsatz. Viele der Strategien, die Sie in diesem Kapitel für die gesprochene Argumentation gelernt haben, lassen sich auch bei einer schriftlichen Argumentation verwenden.

1. Schreiben Sie eine öffentliche Rede an eine Zielgruppe Ihrer Wahl über eins der vorgeschlagenen Debattierthemen.
2. Verfassen Sie die Antwort des Bürgermeisters an Frau Luise Schulz (S. 202)
3. Argumentieren Sie für beide Seiten eines kontroversen Themas. Beachten Sie folgende Aufsatzgliederung:

A. Einführung:

B. Problemstellung: drei Punkte, die zu beachten sind
Punkt 1: ,,zum einen . . . " Beispiele, ,,zum anderen . . . " Beispiele
Punkt 2: ,,einerseits . . . " Beispiele, ,,andererseits" Beispiele
Punkt 3: ,,zwar . . . " Beispiele, ,,aber . . . " Beispiele

C. Schluß: Kurze Zusammenfassung der Argumente für und wider; Aussicht auf Kompromiß bzw. Lösung des Konflikts.

Vokabeln
die ich aus diesem Kapitel
festhalten möchte:

WÖRTERVERZEICHNIS

A

das **Abgas, -e** exhaust fume
der **Ablauf** expiration
der **Abschnitt, -e** coupon
absolvieren to complete
ab·decken to clear (the table)
ab·drucken to print out
abgeschafft abolished
ab·halten to hold, have
ab·lecken to lick off
ab·lehnen to refuse, decline
ab·schicken to send away
ab·spielen (das Tonband, die Cassette) to play
sich **ab·spielen** to happen
ab·waschen,ä,u,a, to wash
ab·wechseln to alternate
achten (auf) to pay attention to
Ade Adieu, farewell
albern foolish
der **Alkoholausschank** serving of alcoholic beverages
allerhand (das ist allerhand) that is bad
der **Alltag** everyday life
das **Alltagsleben** everyday life
altberühmt long-established
das **Angebot, -e** offer, supply
angebunden (kurz) curt, short
der **Angeklagte, -n** the accused
angelegt established
angenehm agreeable
angestellt hired
die **Angst, ¨e** fear
Angst haben vor to be afraid of
sich **anhören** to listen to
die **Anlage, -n** enclosure
das **Anliegen, -** concern
anpreisen to boost
die **Anrede, -n** address in a speech
anschließend subsequently
der **Anspruch, ¨e** claim
das **Antiquariat, -e** used book store
die **Anweisung, -en** instruction
anwesend present
die **Anzahl** number
die **Anzeige, -n** advertisement
an·bieten,o,o to offer
an·fangen,ä,i,a to begin
an·geben,i,a,e to give (information)
an·heben,o,o to raise up
an·klagen to accuse
an·knüpfen to connect
an·kommen,a,o to be received
an·kreuzen to check off
an·kündigen to announce
der **Anlaß, ¨sse,** occasion
an·nehmen,i,a,o to accept
an·ordnen to arrange
an·packen to attack
an·passen to adapt
an·rechnen to count, charge
die **Anrede** form of address
sich **an·sehen,ie,a,e** to look at
ansprechend attractive
an·ziehen,o,o to dress
der **Apparat, -e** (am) on the telephone
der **Appell, -e** appeal
der **Arbeitgeber, -** employer
der **Arbeitnehmer,-;** die **Arbeitnehmerin, -nen** employee
das **Arbeitsamt, ¨er** state employment office
die **Arbeitserlaubnis, -se** work permit
die **Arbeitsteilung** division of labor
der **Ärger** anger
arm poor
die **Armut** poverty
die **Art, -en** kind, type
der **Arzt, ¨e;** die **Ärztin, -nen** doctor
assoziieren to associate
auf·drehen to turn up
der **Aufenthalt, -e** stay, residence
auf·fordern to call upon
auf·fressen,i,a,e to gobble up
auf·lesen,ie,a,e to gather
die **Aufmerksamkeit** attention
die **Aufnahme, -n** intake
auf·nehmen,i,a,o to record
aufrecht straight
auf·regen to excite
sich **auf·richten** to sit up (right)
die **Aufrüstung** rearmament
auf·schlagen, u,a to set up
auf·schreiben,ie,ie to write down
auf·stellen to arrange, set up
aufstrebend ambitious
auf·teilen to divide up
auf·treten to have a (adj.) manner, act
auf·wachsen,ä,u,a to grow up
auf-wecken to wake up
auf·zählen to count off
die **Aufzählung, -en** listing
aus·bauen to develop
die **Ausbildung** education
sich **aus·denken,a,a** to think up
der **Ausdruck, ¨e** expression
sich **aus·drücken** to express oneself
auseinander apart
ausfindig machen to find, to look for
der **Ausflug, ¨e** outing, excursion
aus·fragen to question, interrogate
aus·füllen to fill out
der **Ausgang, ¨e** exit
aus·geben,i,a,e to spend (money)
das **Ausgehen** going out
der **Ausgleichssport** keeping fit
die **Auskunft, ¨e** information
aus·lassen,ä,ie,a to leave out
aus·richten to inform, transmit
der **Ausruf, -e** exclamation
aus·probieren to try out
aus·rufen,ie,u to call out
die **Aussage, -n** utterance
ausschlaggebend decisive
der **Ausschnitt** excerpt
das **Aussehen** appearance
aus·sehen,ie,a,e to look, appear
der **Außendienst** field service, traveling
äußern to express
aus·sprechen,i,a,o to pronounce
aus·statten to furnish
aus·streichen,i,i to cross off
der **Austausch** exchange
die **Auswahl** selection
sich **ausweisen,ie,ie** to identify oneself

B

der **Badeanzug, ¨e** bathing suit
der **Bahnhof, ¨e** train station
baldig quick, speedy
der **Bankeinbruch, ¨e** bank robbery
der **Bau** construction
der **Bauch, ¨e** stomach
der **Beamte, -n;** die **Beamtin, -nen** civil servant, official
beauftragen to charge, commission
der **Bedarf** need
bedauern to regret
bedienen to serve, to wait on
die **Bedingung, -en** condition
bedrohen to threaten
das **Bedürfnis, -se** need
das **Befinden** state of health
befreien to free
befriedigt satisfied
der **Befürworter, -;** die **Befürwörterin, -nen** supporter
sich **begegnen** to meet
begeistert enthusiastic
der **Begriff, -e** idea, notion
begründen to give reasons for; to substantiate
behalten,ä,ie,ie to keep
sich **beherrschen** to have self-discipline
der **Beifall** applause
das **Bein, -e** leg
bei·behalten,ä,ie,a to keep
bei·fügen to enclose, to add
bekanntgeben,i,a,e to announce
bekanntlich as is well known
Bekanntschaft, -en machen to get acquainted
bekümmert depressed
bekämpfen to fight
die **Belastung, -en** exertion
bellen to bark
belästigen to annoy
die **Belohnung, -en** to award
die **Bemerkung, -en** comment
das **Benehmen** conduct
beobachten to observe
der **Berater, -** advisor
die **Beratung, -en** advice, consultation
berechtigt entitled
bereit prepared
die **Beruhigungstablette, -n** tranquilizer
berühmt famous
die **Beschäftigung, -en** occupation, activity
der **Bescheid, -e** answer, decision
die **Beschreibung, -en** description
beschriften to label
die **Beschwerde, -n** complaint
der **Beschwerdebrief, -e** letter of complaint
sich **beschweren** to complain
der **Besenbinder, -** broom maker
besetzt occupied
besichtigen to look at, view
besiedeln to settle, colonize
besiegen to conquer
besitzen,a,e to possess
besonders especially
besorgen to produce
besorgt worried
besprechen,i,a,o to discuss
bestehen,a,a (aus) to consist of
bestellen to order
bestimmen to determine
bestrafen to punish

bestreiten to dispute, contest
betätigen to run (a machine)
betäuben (Ohren) to deafen
betonen to stress
betreffen,i,a,o to concern
der **Betrieb, -e** factory, company
der **Betriebsausflug, ¨-e** company excursion
betroffen affected
beugen to bend
die **Beunruhigung** uneasiness
die **Beurteilung, -en** judgment
die **Bevölkerung** population
bewaldet wooded
der **Bewerber, -** applicant
das **Bewerbungsschreiben, -** job application
bezweifeln to doubt
beziehen (auf) to refer to
sich **bieten (die Gelegenheit)** to present itself (the opportunity)
bieten,o,o to offer
bilden to form
billig cheap
bisherig hitherto existing
die **Bitte, -n** request
bitten,a,e to ask, request
blicken to look
blöde idiotic
bloß (Was-?) What on earth?
die **Blume, -n** flower
der **Boden, ¨-** floor
die **Bohne, -n** bean
böse angry
brauchen to use, need
brennen,a,a to burn
das **Brett, -er** (bulletin) board
der **Buchstabe, -n** letter
bügeln to iron
das **Bund, -e** bunch
das **Bündnis, -se** alliance
die **Burg, -en** castle
der **Bürger, -** citizen
die **Bürgerinitiative, -n** citizens action committee
büßen to atone
bzw. (beziehungsweise) respectively, that is

C

der **Commis** clerk

D

das **Dach, ¨-er** roof
dämlich silly
die **Daten** (pl.) data
die **Dauer** duration
dauern to last
decken to cover **(Tisch)** to set the table
deprimieren to depress
deutlich clear
die **Deutschstunde, -n** German class
d.h. — das heißt i.e., that means
der **Dichter, -** poet
die **Dickmilch** sour milk, curds
der **Diebstahl, ¨-e** robbery, theft
drängen to push
draußen outside
dringlich urgent
zu **dritt** in threes
drücken (die Hand) to shake hands
dunkel dark
durch·geben,i,a,e to announce
durch·streichen to cross out
duzen to say *"du"*

E

ebenfalls likewise
der **Edelstein, -e** precious stone
die **Ehe, -n** marriage
eher sooner
ehrlich honest
das **Ei, -er** egg
eigen own
die **Eigenschaft, -en** characteristic
ein·beziehen,o,o to include
eindeutig unambiguous
der **Einfluß, ¨-sse** influence
ein·führen to introduce
der **Eingang, ¨-e** entrance
ein·greifen,i,i intervene
ein·halten,ä,ie,a (Diät) to go on a diet
ein·holen to catch up with
sich **einigen** to agree
ein·laden,ä,ie,a to invite
ein·packen to pack
ein·reichen to hand in
das **Einreisedatum, -daten** date of arrival
ein·richten to furnish
ein·schlafen,ä,ie,a to fall asleep
ein·steigen,ie,ie to enter, get on
ein·stellen to adjust
einstimmig unanimously
ein·tragen,ä,u,a to enter (in writing)
der **Einwand, ¨-e** objection
ein·willigen to consent, agree
ein·zeichnen to draw in
der **Einzug** move, moving in
das **Eiweiß** protein
der **Elektrotechniker, -**; die **Elektrotechnikerin, -nen** electrical engineer
elend desolate
der **Ellbogen, -** elbow
der **Empfang** welcome
empfangen to receive
empfehlen,ie,a,o to recommend
entfalten to develop
entfernt distant
enthalten,ä,ie,a to contain
entlassen,ä,ie,a to dismiss
die **Entscheidung, -en treffen** to make a decision
sich **entschuldigen** to excuse oneself
entsprechen,i,a,o to correspond
die **Entsprechung, -en** analogy
enttäuschen to disappoint
die **Enttäuschung, -en** disappointment
die **Entwicklung, -en** development
erarbeiten to work out
erblich hereditary
erfahren,ä,u,a to find out, learn
erfinden,a,u to invent
die **Erforschung** research
erfragen to inquire
ergänzen to expand
das **Ergebnis, -se** result
ergreifen (das Wort) to interrupt, to begin speaking
erhalten, ä,ie,a to obtain, to receive
die **Erinnerung, -en** memory
erklären to explain, to pronounce
sich **erkundigen** to inform oneself, to inquire
erlauben to allow
die **Erlaubinis, -se** permission
das **Erlebnis, -se** experience
der **Ernstfall, ¨-e** emergency
ernähren to feed
die **Ernährung** food
eröffnen to open
erraten, ä,ie,a to guess
der **Ersatzmann, -leute** substitute
erschrecken,i,a,o to be frightened
erschüttern to shock
erschöpft exhausted
das **Erstaunen** astonishment
erstaunt sein to be surprised
erstellen to institute
der **Erwachsene, -n** adult
erwähnen to mention
erwarten to expect
die **Erwartung, -en** expectation
erwidern to respond
erzählen to tell
erzeugen to produce
erziehen,o,o to bring up
die **Erziehung** up-bringing
essen,i.a,e to eat
eventuell possibly
express expressly, particularly

F

das **Fachwerkhaus, ¨-er** half-timbered house
der **Faden, ¨-** thread
fähig capable
falten to fold
der/die **Familienangehörige, -n** family member
der **Familienstand** marital status
die **Fassung, -en** version, draft
fehlen *(Dat.)* to lack; to be missing
das **Fehlverhalten** abnormal behavior
die **Feier, -n** celebration
der **Feind, -e** enemy
das **Feld, -er** field
die **Ferien** *(pl.)* vacation
das **Fernsehmagazin, -e** television reportage
das **Fernsehprogramm, -e** television listing
fesselnd captivating
festhalten,ä,ie,a to hold onto
fest·stellen to find out, to ascertain
das **Feuer, -** fire
fingiert fictitious
das **Fleisch** meat
die **Fliege, -n** fly
die **Flucht** fleeing
der **Fluß, ¨-sse** river
flüstern to whisper
fortgeschritten advanced
fort·fahren, ä,u,a to continue
fort·gehen,i,a to go away
die **Frechheit, -en** rudeness
im **Freien** (out) in the open
fressen,i,a,e to eat *(of animals)*
die **Freude, -n** joy
sich **freuen (über) to be happy about; (auf)** to look forward to
der **Friedhof, -e** cemetery
friedlich peaceloving, tranquil
fröhlich cheerful
führen to conduct
der **Führerschein, -e** driver's license
das **Führungszeugnis, -se** certificate indicating a person has no police record
füllen to fill
furchtbar terrible
furniert veneered

G

die **Gabel, -n** fork
die **Gage, -n** remuneration, fee
der **Gang, ¨-e** course
ganz whole
das **Gebet, -e** prayer
das **Gebiet, -e** area
gebrauchen to utilize
der **Geburtstag, -e** birthday
gebürtig by birth
die **Gedenkstätte, -n** memorial **(Wohn-,Wirkungs-)** place of residence and domain of influence
geeignet sein to be qualified
gefallen,ä,ie,a *(+Dat.)* to please
das **Gefühl, -e** feeling

die **Gegend, -en** area
das **Gegenteil, -e** opposite
gegenteilig opposing
um etwas gehen,i,a to be a question of
gehören to belong
gekürzt shortened
das **Gelenk, -e** joint
gelten,i,a,o to hold true
der **Gemahl, -e;** die **Gemahlin, -nen** consort
das **Gemeinwohl** the common good
gemeinsam together, common
genau exact
die **Genehmigung, -en** permit
sich **genieren** to be embarrassed
gerade even, straight
gesamt total
geschehen,ie,a,e to happen, occur
geschieden divorced
die **Geschirrspülmaschine, -n** dishwasher
der **Geschmack** taste
das **Gesicht, -er** face
die **Gesinnung, -en** opinion
das **Gespenst, -er** ghost
das **Gespräch, -e** conversation
die **Geste, -n** gesture
die **Gesundheit** health
die **Gewalttätigkeit, -en** violence
das **Gewicht** weight
gewinnen,a,o to gain, win
gewiß certain
die **Gewohnheit, -en** habit
gewöhnlich usually
das **Gewürz, -e** spice
gießen,o,o to water
gleichgesinnt like-minded
gleichmäßig even(ly)
gleichzeitig simultaneously
gleitend sliding
gliedern to divide
glänzen to glisten
das **Glück** luck
glücklich happy
der **Grafiker, -; Grafikerin, -nen** graphic artist
gräßlich disgusting
gratulieren to congratulate
die **Großantenne, -n** dish antenna
die **Grund, ¨-e** reason
die **Grundlage, -n** basis
gucken to look
gütig kind
gutmütig gentle

H

der **Haken, -** check mark
halten, ä,ie,a (von) to have an opinion of
anhand der Ergebnisse according to the results
der **Händedruck** handshake
sich **handeln um** to be a question of
die **Handlung, -en** action
der **Haufen, -** heap
die **Häufigkeit** frequency
das **Haupt, ¨-er** head
der **Hauswirt, -e;** die **Hauswirtin, -nen** landlord, landlady
heben,o,o to lift; (*vi*) to rise
heften to attach
heftig passionately
der **Heilzweck, -e** therapeutic purpose
die **Heimatstadt, ¨-e** hometown
heiraten to marry
die **Heiratsanzeige, -n** personal advertisement
der **Held, -en;** die **Heldin, -nen** hero
heraus·geben to publish
herrlich lovely
herum·reichen to pass around
die **Hexe, -n** witch
das **Hindernis, -se** obstacle
hinzu·fügen to add
der **Hocker, -** stool
die **Hoffnung, -en** hope
höflich polite
holen to get, fetch
das **Holz** wood
der **Holzhacker, -** woodchopper, lumberjack
der **Hügel, -** hill
das **Hühnchen, -** chicken

I

imponieren to impress
der **Inhaber, -;** die **Inhaberin, -nen** storeowner
das **Inhaltsverzeichnis, -se** table of contents
der **Innenarchitekt, -en;** die **Innenarchitektin, -nen** interior decorator
die **Innenpolitik** domestic politics
das **Inserat, -e** advertisement
die **Inventur, -en** inventory
irreführend deluding
sich **irren** to be mistaken

J

jeweilig respective
jeweils each
der/die **Jugendliche, -n** youth
der **Jurist, -en;** die **Juristin, -nen** lawyer

K

die **Kante, -n** edge
die **Kantine, -n** cafeteria
der **Kasten, ¨-** box
das **Kernkraftwerk, -e** nuclear power plant
die **Kette, -n** chain
die **Kiefer, -n** pine
der **Kieselstein, -e** gravel
klären to clear up
klatschen to clap
kleben to glue
das **Kloster, ¨-** monastery
klug smart
der **Knabe, -n** boy
das **Knöchelchen, -** little bone
das **Knusperhäuschen, -** gingerbread house
der **Kollege, -n;** die **Kollegin, -nen** colleague
komisch strange
der **Kommilitone, -n;** die **Kommilitonin, -nen** fellow-student
das **Kompott** compote
die **Konditorei, -en** confectioner
kontern to counter
das **Kopfnicken** nodding of head
körnig granular
körperlich physical
köstlich delightful
das **Kraftwerk -e** power plant
die **Krebsschale, -n** crabshells
der **Kreis, -e** circle
das **Krümchen, -** little crumb
das **Kuckucksei, -er** "cuckoo's egg," unwelcome or fateful gift
sich **kümmern um** to be concerned about
kündigen to give notice
der **Künstler, -,** die **Künstlerin, -nen** artist
der **Kursus, -e** course *also*: der **Kurs, -e**

L

lächerlich ridiculous
der **Laden, ¨-** store
die **Lage, -n** situation
auf Lager haben to have on hand
der **Landwirt, -e** farmer
die **Langeweile** boredom
langweilig boring
der **Lärm** noise
die **Lärmbelästigung** noise pollution
im **Laufe** during
die **Laune, -n** mood
die **Lautmalerei** onomatopoeia
lautstark loud
die **Lautstärke, -n** volume, decibel level
die **Lebensgeschichte, -n** life story
der **Lebenslauf, ¨-e** resumé
lebhaft lively
ledig single
leer empty
legen to lay
das **Lehrbuch, ¨-er** textbook
leicht light
leiden,i,i, (gut) to like
leid tun (es tut mir leid) I am sorry
leihen,ie,ie to lend
der **Leistungsdruck** competitiveness, pressure to achieve
leistungsfähig efficient
leiten to lead
der **Leitgedanke, -n** principle
der **Lesestoff, -e** reading material
das **Lichtbild, -er** photo
Lieblings- favorite
liefern to deliver
links left
locker relaxed
der **Löffel,-** spoon
sich **lohnen** to be worthwhile
das **Los, -e** raffle ticket
durch — entscheiden to decide by lot
der **Luftangriff, -e** aerial bombing
der **Luftkurort, -e** health resort
der **Luftpirat, -en** airplane highjacker
die **Lüge, -n** lie
lügen,o,o to lie
lustig funny
lösen to solve

M

die **Mahlzeit, -en** mealtime
malen to draw, illustrate
mangelnd insufficient
mannigfaltig diverse
die **Mannschaft, -en** team
markieren to make a mark
das **Maß, -e** amount
massiv solid
die **Maßnahme, -n** (ergreifen) (to take) measure
das **Märchen, -** fairytale
mehrmals several times, repeatedly
meinen to think, mean, believe
die **Meinung, -en** opinion
der **Meinungsaustausch** exchange of ideas
die **Menge, -n** amount
die **Mensa, -sen** university cafeteria
menschenscheu timid, shy
messen to measure
das **Messer, -** knife
die **Metzgerei, -en** butcher
die **Miene, -n** facial expression
die **Miete, -n** rent
der **Mieter, -;** die **Mieterin, -nen** tenant
der **Mietvertrag, ¨-** lease
die **Minderheit, -en** minority
mindestens at least
mischen to mix
das **Mißfallen** displeasure
mißmutig in bad mood, reluctant

das **Mißverständnis, -se** misunderstanding
der **Mitbewohner, -** die **Mitbewohnerin, -nen** fellow occupant
das **Mitgefühl** sympathy
das **Mitglied, -er** member
das **Mitleid** sympathy, compassion
der **Mitstudent, -en** fellow student
die **Mitte** middle
das **Mittel, -** means
mitteilen to inform
mittelalterlich medieval
mit·schreiben,ie,ie to take dictation
mit·teilen to inform, make known
das **Möbel, -** (piece of) furniture
der **Mondschein** moonlight
der **Mord, -e** murder
das **Morgenrot** light of dawn
die **Mühe, -n** care
der **Müll** garbage
die **Müllabfuhr** garbage collection
der **Müllkutscher, -** garbage collector
der **Mund, ¨er** mouth
mündlich orally
munter sprightly
das **Muster, -** pattern

N

der **Nachbar,-n;** die **Nachbarin, -nen** neighbor
der **Nachbarort, -e** neighboring town
nach·denken,a,a (über) to think about
nach·fragen to inquire
nach·laufen,ä,ie,au to run after
die **Nachricht, -en** news
nach·schauen look and see
nach·schlagen,ä,u,a to look up
nächst next
nach·zeichnen to copy
das **Nashorn, ¨er** rhinoceros
das **Nebenthema, -themen** subtopic
nennen,a,a to name
nett nice
neulich recently
der **Neuling, -e** new person, greenhorn
nicht zutreffend not applicable
niedrig low
die **Note, -n** grade, mark
notieren to note down

O

der **Oberkörper, -** torso
die **Öffentlichkeit** public
die **Ordnung** order
in Ordnung sein to be correct

P

passabel tolerable
passend appropriate
pauken to study, cram
peinlich embarrassing
das **Personal** personnel; die **Personalabteilung** -department
der **Personalausweis, -e** identification card
die **Personalien** *(pl.)* personal data
die **Persönlichkeit, -en** personality
die **Perücke, -n** wig
der **Pfahl, ¨e** pole
der **Pfarrer, -** minister
pfiffig tricky
das **Pflichtfach, ¨er** required course
plötzlich suddenly
preiswert cheap
die **Promotion** Ph.D., doctorate
der **Puls, -e** pulse
putzen to clean

Q

die **Quelle, -n** source
quer across

R

die **Rakete, -n** rocket
die **Rangfolge, -n** order of priority
der **Rasen** lawn
der **Ratschlag, ¨e** advice
der **Raubbau** depletion, erosion
reagieren to react
die **Rechnung, -en** bill
das **Recht, -e** right, law
recht right, proper
rechtzeitig in time
der **Redakteur, -e,** die **Redakteurin, -nen** editor
die **Rede, -n** talk, speech
der **Redefluß** flow of talk
das **Redemittel, -** conversational strategy
die **Redewendung, -en** expression, idiom
der **Redner, -;** die **Rednerin, -nen** speaker
das **Referat, -e** report
das **Reich, -e** kingdom, empire
die **Reihe, -n** row
an die **Reihe kommen** to have a turn
die **Reihenfolge, -n** order
rein pure
die **Reinigung** cleaning, the cleaner's
der **Reiseleiter, -;** die **Reiseleiterin, -nen** tour guide
reizend charming
reizvoll enticing
reklamieren to complain
der **Rentner, -;** die **Rentnerin, -nen** retired person
die **Reparaturwerkstatt, ¨en** car repair shop
richten to turn
der **Richter, -** judge
richtig correct(ly)
die **Richtung, -en** direction
riesengroß gigantic
riesig tremendous(ly)
der **Ritter, -** knight
das **Rollenspiel, -e** roleplay
der **Rücken, -** back
die **Rückfrage, -n** feedback question
die **Rückkehr** return
rufen,ie,u to call
die **Ruhe** rest, peace
rülpsen to burp

S

der **Saal, Säle** room
die **Sahne** cream
sammeln collect
sämtlich each and all
der **Satz, ¨e** sentence
sauber clean
sauber·lecken to lick clean
sauer sour
das **Schach** chess
die **Schachtel, -n** box
schaffen to make, to accomplish
schälen to peel
der **Schatz, ¨e** treasure
schauen to look at
schaukeln to rock
der **Scheinwerfer, -** headlight
scheußlich atrocious
schieben,o,o to shove
der **Schiedsrichter, -** referee
schildern to describe
der **Schinken** ham
schlachten to slaughter
die **Schlaflosigkeit** sleeplessness
die **Schlagader, -n** artery
schlagen,ä,u,a to hit
die **Schlagsahne** whipped cream
schlampig sloppy
die **Schlange, -n (stehen)** to stand in line
aus etwas **schließen,o,o** to infer
schlimm bad
das **Schloß, ¨sser** castle
der **Schlosser** locksmith
schlürfen to slurp
der **Schluß, ¨sse** end
die **Schlußfolgerung, -en** conclusion
schmatzen to smack
schmecken to taste
der **Schmerz, -en** pain
der **Schmutz** filth
schneiden,i,i to cut
der **Schnellimbiß, -sse** fast food restaurant
die **Schnellimbißkette, -n** fast food chain
der **Schornstein, -e** chimney
der **Schornsteinfeger, -;** die **Schornsteinfegerin, -nen** chimney sweep
schrecklich terrible
schreien,ie,ie to shout
der **Schritt, -e** step
die **Schulbehörde, -n** school administration
die **Schuld** fault, guilt
die **Schulter, -n** shoulder
das **Schürzchen, -** apron
schützen to protect
die **Schwäche, -n** weakness
das **Schweinchen, -** little pig
schwer (Unfall) serious
schwerhörig hard of hearing
schwindlig dizzy
die **Sehenswürdigkeit, -en** tourist attraction
seitwärts sideways
die **Selbstlosigkeit** selflesssness
die **Selbstständigkeit** independence
sich **senken** to sink
senkrecht vertical
sicherlich surely
sichern to guarantee
sieden to boil
der **Sieger, -** winner
siezen to say "Sie"
die **Silbe, -n** syllable
die **Sitzung, -en** meeting
sofort immediately
sonderbar special
sonstiges other, miscellaneous
die **Sorge, -n** worry, concern
sorgen für to provide for
sich **Sorgen machen über** to be concerned about
sorgfältig carefully
die **Spalte, -n** column
spannend thrilling
sparen to save
spät late
die **Speise, -n** food, meal
die **Speisekarte, -n** menu
spießig narrow-minded
der **Spitzname, -n** nickname
die **Sprechblase, -n** cartoon bubble
der **Sprecherwechsel, -** turn-at-talk
die **Sprechfertigkeit** fluency
das **Sprichwort, ¨er** proverb
die **Staatsangehörigkeit, -en** citizenship
der **Stadtbummel, -** city stroll
der **Stadtplan, ¨e** city map
der **Stadtrat** city council
der **Stamm, ¨e** stem, trunk
ständig constantly
der **Stapel, -** pile
stark strong

die **Stärke** strength
statt·finden,a,u to take place
stecken to put; to be stuck
stehlen,ie,a,o to steal
steigen,ie,ie to climb
steigern to increase
die **Stelle, -n** place
an Ihrer **Stelle** in your position, in your place
auf der **Stelle** in one place
das **Stellenangebot, -e** job offer
die **Stellungnahme, -n** point of view
der **Stellvertreter, -** representative
sterben,i,a,o to die
das **Steuer** steering wheel
steuern to direct
die **Stichflamme, -n** darting flame
stichpunktartig see *stichwortartig*
das **Stichwort, -e** key word
stichwortartig widergeben to summarize the main points
die **Stimme, -n** voice
stimmungsvoll picturesque
das **Stipendium, -ien** scholarship
stolz proud
stören to disturb
das **Straßenblatt, ¨er** tabloid
der **Strand, ¨e** beach
strecken to stretch out
der **Streit, -e** argument
streng strict
der **Stuhl, ¨e** chair
sympathisch congenial
die **Szene, -n** scene

T

tabellarisch in table form
der **Tagesplan, ¨e** daily schedule
das **Tal, ¨er** valley
die **Tankstelle, -n** gas station
das **Taschenbuch, ¨er** paperback book
der **Täter, -** culprit
die **Tätigkeit, -en** activity
die **Taube, -n** dove
der **Teig, -e** dough
der **Teil, -e** part, section
die **Teilnahme** participation
der **Termin, -e** appointment
teuer expensive
der **Teufel, -** devil
die **Tischmanieren** *(pl.)* table manners
tja *(expressive particle)* so, well
die **Todesstrafe, -n** death sentence
toll fantastic
das **Tonband, ¨er** tape, cassette tape
der **Tonfall** cadence
die **Torte, -n** layer cake
töten to kill
traumhaft dreamy
traurig sad
der **Trauschein, -e** marriage license
das **Treffen, -** meeting
treffen,i,a,o to meet
der **Treffpunkt, -e** meeting place
die **Treffzeit, -en** meeting time
treiben,ie,ie (Sport) to take part in sports
die **Treue** trust, fidelity
trimmen to exercise for fitness
trostlos wretched
trösten to console

U

üben to practice
überein-stimmen to agree
überfordert overwhelmed
der **Übergang, ¨e** transfer
überprüfen to check
überrascht surprised
die **Überraschung** surprise
überreden to convince
übersehen,ie,a,e to oversee
übertreiben,ie,ie to exaggerate
über·wechseln to switch over
überwiegen,o,o to exceed, be the majority
überwinden,a,u to overcome
überzeugen to convince
die **Überzeugung, -en** conviction
die **Uhrzeit, -en** time
die **Umfrage, -n** inquiry
umgehen to evade
umgekehrt upside down
um·graben,ä,u,a to dig
um·räumen to rearrange
der **Umschlag, ¨e** envelope
die **Umwelt** environment
unabhängig independent
unbedingt absolute(ly)
unerschöpflich unlimited
unerwartet unexpected(ly)
der **Unfall, ¨e** accident
ungefähr approximately
das **Unglück** misfortune
unheimlich terribly
unmöglich impossible
unterbrechen,i,a,o to interrupt
die **Unterkunft, ¨e** lodging
die **Unterlagen** *(pl.)* dossier
unternehmen,i,a,o to undertake
das **Unternehmen, -** company, corporation
der **Unternehmensberater, -** consultant
der **Unterschied, -e** difference
unterschreiben,ie,ie to sign
die **Unterschrift, -en** signature
unterstützen to support
unterwegs on the way
die **Unverschämtheit, -en** impudency, nerve
die **Urfassung, -en** original version
die **Ursache, -n** cause
ursprünglich original

V

die **Variante, -n** version
sich **verabreden** to make a date
die **Verabredung, -en** appointment
verachten to be contemptuous
der **Veranstaltungskalender, -** calendar of events
verarbeiten to process
verärgert angry
verbergen,i,a,o to conceal
verbessern to improve
verbinden,a,u to join
die **Verbindung, -en** union
das **Verbot, -e** prohibition
verbrauchen to use up
das **Verbrechen, - begehen,i,a** to commit a crime
verbrennen,a,a to burn up
verbringen,a,a to spend
verdienen to earn
verdrücken to put away, eat
der **Verein, -e** club
verflixt nasty, hexed
zur **Verfügung stehen** to be available
vergleichen,i,i to compare
vergraben,ä,u,a bury
verhaften to arrest
sich **verhalten,ä,ie,a** to act
verheiratet married
sich **verirren** to get lost
verkaufen to sell
das **Verkehrsamt, ¨er** city tourist office
verkennen,a,a to fail to recognize
verkünden to announce
der **Verkäufer, -**; die **Verkäuferin, -nen** salesperson
verlangen to ask, demand
verlassen,ä,ie,a to leave
verlaufen,äu,ie,au to run, proceed
verleihen,ie,ie to award
verletzen to injure
vermeiden,ie,ie to avoid
vermessen,i,a,e to measure, to survey
die **Verpestung** pollution
verschieben,o,o postpone
verschließen,o,o to lock
die **Verschmutzung** pollution
verschränken to cross
das **Versehen** mistake
aus Versehen by mistake
sich **versichern** to assure oneself
verstecken to hide
verstehen,a,a to understand
verständnisvoll understanding
versuchen to try
vertauschen to exchange
verteidigen to defend
verteilen to distribute
vertreten,i,a,e to represent
der **Vertreter, -** representative
die **Verwaltung, -en** administration
verwandeln to convert
der/die **Verwandte, -n** relative
verwenden to utilize
verwitwet widowed
verzagt dejected
die **Verzögerung, -en** hesitation
die **Verzweiflung** despair
zu **viert** in fours
vollkommen completely
vollwertig nutritious
vollzählig complete
vor·bereiten to prepare
die **Vorbereitung, -en** preparation
vor·bringen,a,a to put forth
der **Vorgarten, ¨** front lawn
vorgestern the day before yesterday
vor·haben to intend, plan to do
vorhanden sein to be present
vor·kommen,a,o to occur, to be found
vor·lesen,ie,a,e to read out loud
vornehm elegant
der **Vorschlag, ¨e** suggestion
vor·stellen to introduce
die **Vorstellung, -en** conception
das **Vorstellungsgespräch, -e** interview
der **Vortrag, ¨e** lecture
vor·werfen,i,a,o to blame

W

das **Wachstum** growth
der **Waffenbesitz** ownership of weapons
wählen to choose
wahnsinnig insanely, awfully, terribly
wahren to maintain
die **Wahrheit, -en** truth
der **Wald, ¨er** forest
die **Ware, -n** ware
wechseln to change
sich **auf den Weg machen** to get on one's way
weich soft
weinen to cry
die **Weisheit** wisdom
die **Wellenlänge, -n** wavelength
wellig undulating
wenden,a,a to turn
der **Werbespot, -s** commercial
die **Werbung** advertising
werfen,i,a,o to throw
die **Wertung** assessment
wiegen,o,o to weigh

die **Willenskraft** willpower
der **Wirbelsturm, ¨-e** tornado
wirken to have an effect
wirtschaftlich economic
das **Wissen** knowledge
witzig witty
die **Wohngemeinschaft, -en** communal living, group house
wohnhaft residing in
die **Wortschatzerweiterung** vocabulary development
die **Wortwahl** choice of words
wünschen to wish
der **Würfel, -** die (dice)

Z

die **Zahl, -en** number
zahlreich numerous
zeichnen to draw
zeigen to show
die **Zeitgrenze, -n** time limit
die **Zeitschrift, -en** magazine
der **Zeitungskiosk, -e** newsstand
die **Zensur, -en** grade, mark
zerbröseln to crumble
zerschlagen,ä,u,a to smash
der **Zettel, -** slip of paper
das **Zeugnis, -se** certificate, diploma
das **Ziel, -e** goal, aim
die **Zielgruppe, -n** target group
ziemlich rather
zögern to hesitate
zu·bereiten to prepare
zufrieden·stellen to appease
zu·geben,i,a,e to confess
auf jmnd. **zu·gehen** to go up to someone
zügig swift
zuhören (+D) to listen to
der **Zuhörer, -** listener
zu·lassen,ä,ie,a to accept
die **Zulassung, -en** acceptance
zurecht·machen to prepare
zurück·legen to cover (a distance); to put (lay) back
die **Zusage, -n** acceptance
zusammen·stellen to compile
der **Zuschauer, -**; die **Zuschauerin, -nen** spectator
zusätzlich additional
zu·teilen to bestow
zu·treffen,i,a,o to hold true
zweckmäßig appropriate
der **Zweifel, -** doubt
zu **zweit** in twos
zwingen to force

CREDITS AND PERMISSIONS

PHOTOGRAPHS

Owen Franken/Stock Boston 70 (bottom), 136; German Information Center 30, 32, 70 (top), 90, 189; Arthur Grace/Stock Boston 71 (top); Ellis Herwig/Stock Boston 71 (bottom); Uta Hoffmann 6, 162; Judy Poe 51, 60, 71, 81, 86, 123, 135, 147, 151; Mary Beechy Pfeiffer 15; Stock Boston 1, 19, 41, 43, 125, 149, 165, 171, 183; Ulrike Welsch 72, 101, 121, 167, 174, 181; Wide World Photos 63, 119.

PERMISSIONS

Ch. 1, p. 2: Cartoon. With permission by *New Yorker Magazine,* New York.

Ch. 1, p. 8: Cartoon. With permission by Pantheon Books, New York.

Ch. 4, p. 68: Peanuts cartoon. With permission by United Features Syndicate, New York.

Ch. 5, p. 93–94: Illustrations reproduced and adapted from: *Grimms Märchen/ Grimm's Fairy Tales* ed. Willy Schumann. Cambridge (Suhrkamp/Insel Publishers Inc., Boston) 1982. Reprinted with permission.

Ch. 5, p. 99: Story adapted from Janosch, *Der Räuber und der Leiermann* Reinbek bei Hamburg (Rowohlt) 1972. With permission by author.

Ch. 6, p. 104: Cartoon. With permission from Stattbuch Verlag, Berlin.

Ch. 6, p. 114: "Test: Wie gesund leben Sie?" Reprinted from *Fit und gesund durchs ganze Jahr.* With permission by BPV Medweth & Co., Stans.

Ch. 6, p. 117–119: "Fit in 30 Tagen," "Trimm dich durch Sport," "Puls messen," "Wählen Sie aus," "Pausen machen, Puls messen." With permission by Deutscher Sportbund, Frankfurt.

Ch. 7, p. 142: "Die neue Lärmverordnung." With permission by Berliner Mieterverein e.V., Berlin.

Ch. 8, p. 159: "Moment mal! ja/nein." With permission by *Freundin.*

Ch. 9, p. 178: LORIOT (Vicco v. Bülow) "Das Ei." Reprinted from *Scala Jugendmagazin.* With permission by Diogenes Verlag, Zürich.

Ch. 10, p. 187: Cartoon. With permission by *Energiewende Magazin,* Sulzbach.

Ch. 10, p. 194: "Nachbar hat leise zu sein." With permission by *Schöner Wohnen,* Köln.

Ch. 10, p. 195: "Wohin mit dem Müll?" With permission by Stadtteilausschuß SO 36, Berlin.

Ch. 10, p. 203: "Garten und Umzug — zwei Urteile deutscher Gerichte." With permission by *Welt am Sonntag.*